실력도 **탑!** 재미도 **탑!**

사고력 수학의 으뜸

B4

이 책의 목차

TOP 사고력 수학의 특징

TOP사고력 수학 A/B 시리즈는 수학 경시 대회와 영재교육원을 대비하여 꼭 알아야 할 교과서 밖 수학 개념과 실전 문제로 학생을 최상위권으로 이끌어줄 교재입니다.
보통의 상위권 실전 문제집들이 주제별로 적은 수의 문제를 나열하는 구성이라면 TOP사고력 수학은 풍부한 개념과 여러 가지 문제해결의 원리를 캐릭터들과 함께 재미있게 살펴본 후, 유형별로 충분히 연습할 수 있도록 하였습니다. 더불어 "사고력 쑥쑥" 이라는 이름의 별도 구성을 두어 주제별 학습 이후에 다양한 문제를 해결하면서 주제별 다지기 학습을 할 수 있도록 했습니다.

수학적 "깜냥" 키우기

깜냥의 뜻 - 스스로 일을 헤아릴 수 있는 능력
TOP사고력 수학의 학습 목표는 처음 보는 문제를 만나더라도 문제가 요구하는 바를 정확하게 파악하고 스스로 해결할 수 있는 능력, 즉 수학적 깜냥을 키우는 것입니다. 그런 의미에서 이 책의 주인공은 깜냥에서 따온 깜이와 냥이라는 두 아이와 수학 선생님입니다. 다양한 실전 문제를 해결하기에 앞서서 개념과 원리를 깜이, 냥이와 선생님이 이야기하듯이 재미있게 알려 줍니다.

깜이

냥이

선생님

스토리텔링 수학!

스토리텔링의 본질은 이야기를 전달하는 것이 아니라 말하는 사람과 듣는 사람 간의 상호 작용을 통해서 듣는 사람이 스스로 생각하면서 이해할 수 있도록 하는 것입니다. TOP사고력 수학은 만화나 이야기를 매개체로 하여 내용을 전달하는 형식적인 스토리텔링이 아니라 아이에게 상황을 그림으로 보여주고 질문을 하고, 활동 자료로 직접 해 볼 수 있도록 하고, 게임을 하면서 연습할 수 있도록 하는 가장 효과적인 스토리텔링 수학입니다.

체계적 구성과 충분한 연습으로 사고력 쑥쑥!!

각 단원의 시작은 "생각열기"로 학생들이 공부할 주제에 대해 먼저 생각해 보도록 질문을 던지고, 다음 쪽에서 선생님의 설명이 이어집니다. 작은 주제별로도 상황에 맞는 개념과 원리를 충분히 알아본 후, "탐구 유형"에서 유형별로 문제를 다루어 보도록 하였습니다. 단원의 마지막인 "TOP 사고력" 에서는 실전 사고력 문제로 단원을 마무리하게 됩니다.
책의 뒷부분에는 각 단원의 복습 및 다지기를 할 수 있는 "사고력 쑥쑥"을 두어 충분한 연습으로 공부한 내용을 자기 것으로 만들 수 있도록 하였습니다.

예비 활동 가이드

TOP사고력 수학 A/B/C 시리즈는 실전에 강한 수학 공부를 목표로 하기 때문에 교구의 도움 없이 문제 해결을 하도록 하였습니다. 그 대신 주제에 따라 스스로 원리를 이해하고 문제를 해결하는데 도움이 되도록 예비 활동 가이드를 두어 필요에 따라 문제를 해결해 보기 전에 해 볼 수 있는 활동을 제시하였습니다.

저자 동영상 강의

정답지에서 글로 전달하기 힘든 교육 방법, 활용의 예, 개념의 확장 등의 동영상을 제공합니다. 동영상은 PC에서 볼 수도 있고, QR코드를 이용하여 모바일로 이용할 수도 있습니다.

TOP 사고력 수학 시리즈

- **영역별 나선형식 반복 학습 구조**
- **나이, 학년 단계별 수학의 각 영역 비중 차등**
- **경시, 영재교육원 등의 최신 문제 경향 반영**

유아 단계와 초등 단계의 학습 목표

- **K/P시리즈** - 초등 입학 전 알아야 할 필수적인 수학 개념을 익히면서 수감각, 공간지각력, 논리력, 문제 이해력 등 수학적 직관력을 키우기
- **A/B시리즈** - 초등 저학년을 대상으로 수학 경시, 영재교육원의 대비와 최상위권으로 이끌기

시리즈별 학습 단계

- **K시리즈** - 수학의 시작 단계(6~7세)
- **P시리즈** - 초등 입학 준비 단계(7~8세)
- **A시리즈** - 초등 1학년 과정을 마친 학생을 대상으로 한 심화 사고력(초1~초2)
- **B시리즈** - 초등 2학년 과정을 마친 학생을 대상으로 한 심화 사고력(초2~초3)

TOP 사고력 수학의 구성

생각열기

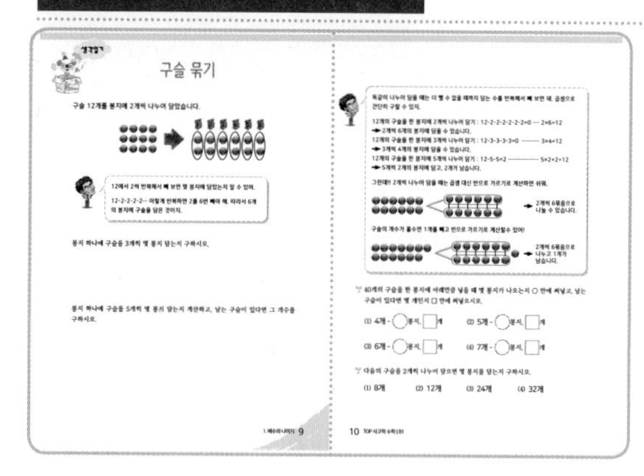

각 단원의 첫 페이지는 공부할 주제에 대한 발문의 역할을 하는 "생각열기"입니다.
재미있게 공부할 주제에 대한 호기심을 유발하고, 간단한 질문에 답하도록 합니다. 꼭 정답을 맞추기보다는 스스로 생각해 보는 것에 초점을 맞추도록 합니다.
스스로 먼저 생각하는 데 방해가 되지 않도록 질문에 대한 설명은 다음 쪽에 있습니다.

원리 탐구

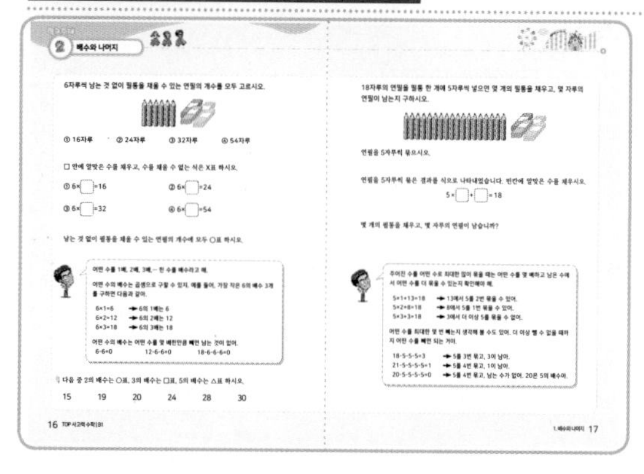

작은 주제별 개념과 문제해결의 원리를 알아보고, 확인 문제를 해결해 봅니다.

탐구 유형

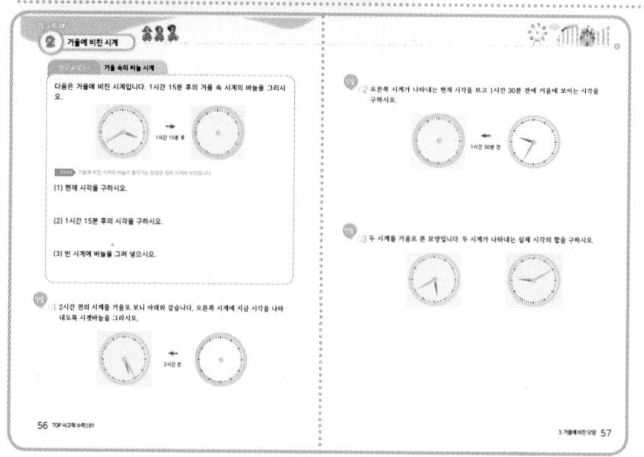

주제별로 여러 가지 유형별 문제를 공부합니다. 문제해결의 원리를 발견할 수 있도록 단계적으로 질문에 따라 문제를 풀어봅니다.

TOP 사고력

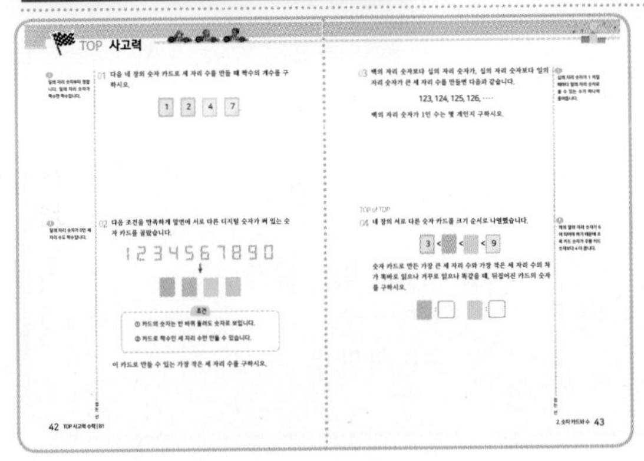

주제별 최고 난이도의 심화 문제를 공부합니다.

사고력 쑥쑥

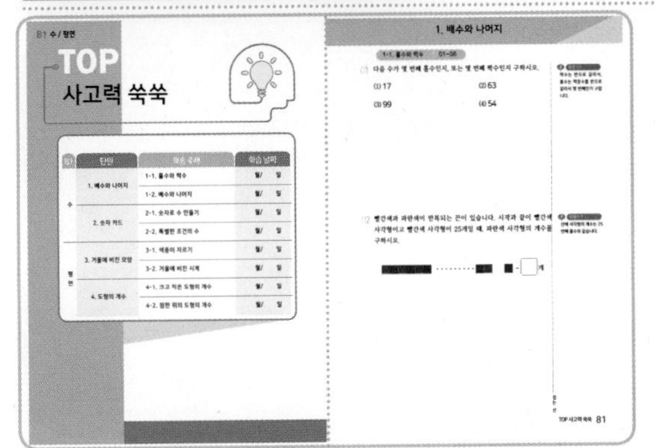

81쪽에서 112쪽까지 32쪽에 걸쳐서 앞에서 공부한 부분을 스스로 복습합니다. 80쪽에는 작은 주제의 복습을 시작하는 날짜를 적어서 한 권을 마치는 동안 공부한 시간을 한 눈에 볼 수 있도록 했습니다.

예비 활동 가이드와 활동 자료

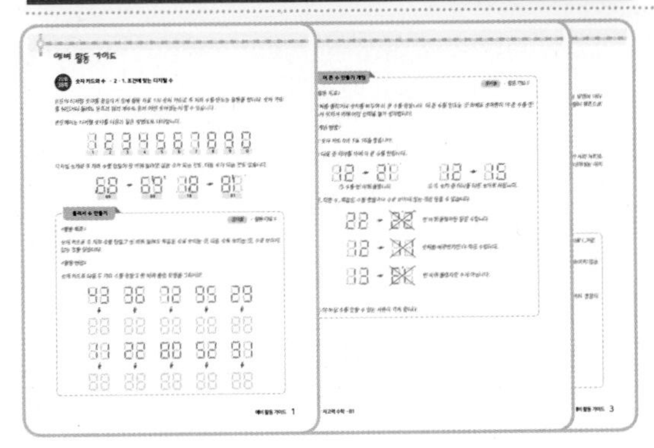

본문을 공부하기 전에 예비 활동을 소개하고 활동에 필요한 활동 자료가 들어 있습니다.

B 시리즈의 학습 내용

B1

연산	1. 곱셈
	2. 식 만들기
측정	3. 길이와 무게
	4. 시각, 날짜

B2

수	1. 배수와 나머지
	2. 숫자 카드와 수
평면	3. 거울에 비친 모양
	4. 도형의 개수

B3

논리	1. 논리 추론
	2. 경로와 위치
평면	3. 펜토미노 퍼즐
	4. 도형 움직이기

B4

연산	1. 저울산
	2. 여러 가지 배수 관계
입체	3. 쌓기나무 놀이
	4. 주사위

B5

규칙	1. 수의 규칙
	2. 모양 규칙
확률과 통계	3. 순서대로 나열하기
	4. 리그와 토너먼트

B6

문제해결	1. 간격의 개수와 길이
	2. 거꾸로 해결하기와 주고받기
	3. 차 탐구
	4. 포함과 배제

동영상 강의를 활용해요.

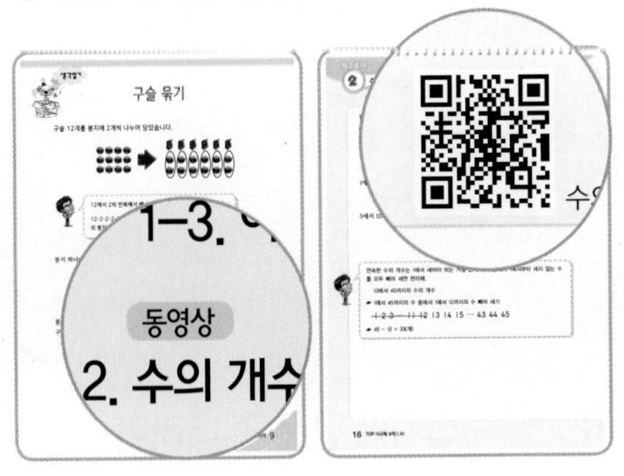

단원의 목차에는 동영상 이라는 표시가, 각 페이지의 윗부분에는 [QR]모양이 있으면 동영상 강의가 있다는 뜻입니다. 동영상 강의에서는 문제를 해결하는 원리를 좀 더 쉽게 설명해 줍니다. 어려운 부분은 동영상 강의를 이용할 수 있습니다.

예비 활동을 활용해요.

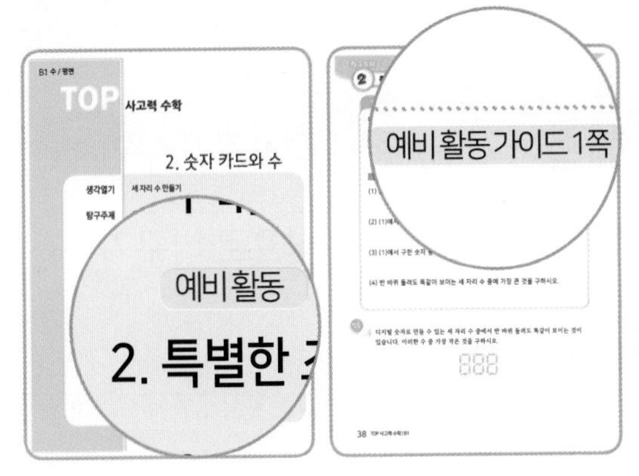

단원의 목차에는 예비활동 이라는 표시가, 각 페이지의 윗부분에는 예비활동 가이드 1쪽 표시가 있으면 문제를 풀기 전에 해 보면 좋은 활동이 있다는 뜻입니다.
예비 활동 가이드와 활동 자료를 이용하여 활동이나 게임을 먼저 해 보고 나서 책의 문제를 풀어보면 좀 더 재미있고, 쉽게 문제를 해결할 수 있습니다.

접는 선을 따라 종이를 접고 문제를 풀어요.

"TOP 사고력"과 "사고력 쑥쑥"에는 접는 선이 표시되어 있습니다. 접는 선 표시에 따라 종이를 접고 문제를 풀고, 어려운 경우 종이를 펼쳐서 도움글을 보고 해결해 봅니다.

TOP 사고력 수학

1. 저울산

생각열기

양팔저울 평형 맞추기

탐구주제

1. 양팔저울
    - 1-1. **같은 것 내리기** / 양쪽 접시에 같은 것 내리기
    - 1-2. **바꾸어 올리기** / 무게가 같은 것을 바꾸기
2. 두 식 문제
    - 2-1. **바꾸어 넣어 해결하기1** / 같은 것으로 바꾸기
    - 2-2. **바꾸어 넣어 해결하기2** / 같은 식으로 바꾸기
    - 2-3. **식과 식 더하기** / 두 식 더하기
3. 여러 가지 저울
    - 3-1. **여러 가지 저울** / 여러 방법으로 잰 무게

TOP 사고력

생각열기

양팔저울 평형 맞추기

●, ■, ▲ 중에 두 모양씩 비교하여 양팔저울이 평형을 이루도록 만들었습니다. ●와 ■를 가장 적게 올려서 평형을 유지하려면 몇 개씩 올려야 하는지 알아봅시다.

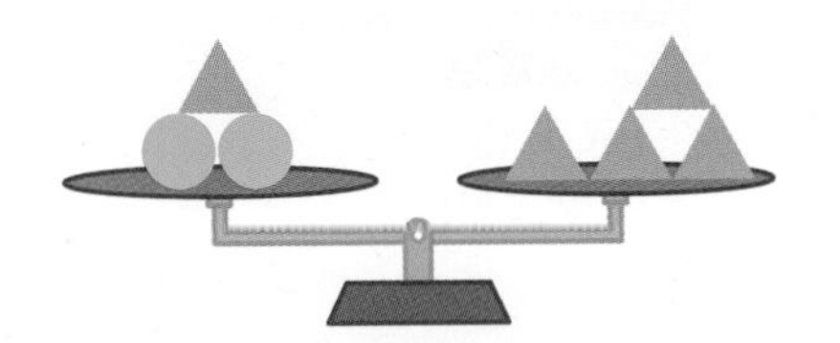

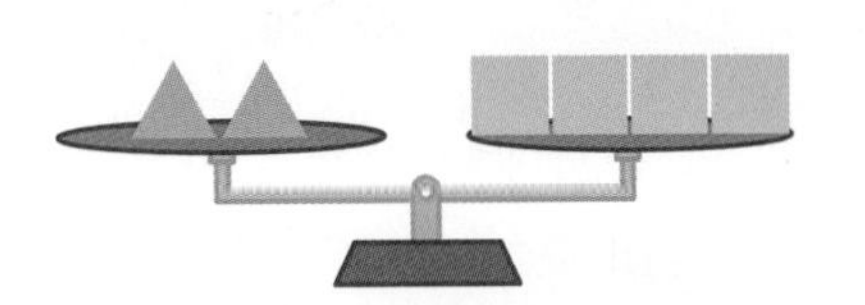

두 양팔저울의 평형을 유지하면서 접시 위의 모양을 내려 놓는 방법은 무엇일까요?

오른쪽 양팔저울은 두 모양의 개수가 모두 짝수이기 때문에 모양을 절반씩 내려놓을 수 있어. 왼쪽 접시에서 ▲ 1개, 오른쪽 접시에서 ■ 2개를 내려놔도 양팔저울이 평형을 유지하지.

두 양팔저울이 평형을 유지하도록 오른쪽 접시에 ▲와 ■를 각각 그리시오.

(1)

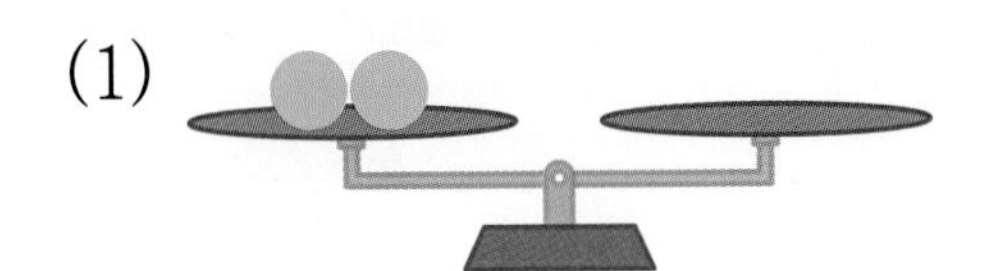

(2)

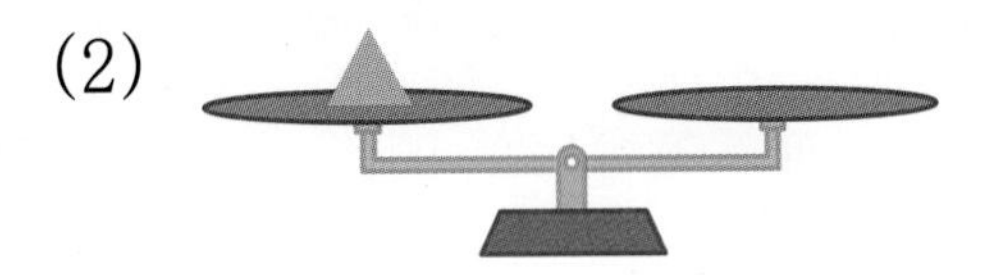

왼쪽 양팔저울에서 ▲를 ■로 바꾸어 양팔저울이 평형을 유지하도록 오른쪽 접시에 ■를 그리시오.

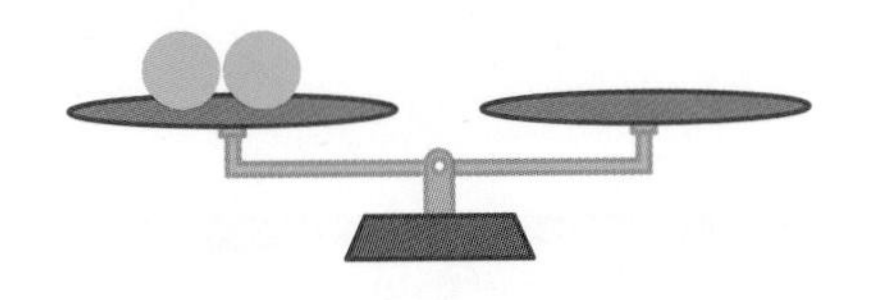

양팔저울의 두 접시에서 같은 모양을 같은 개수만큼 내려도 평형이 유지돼.

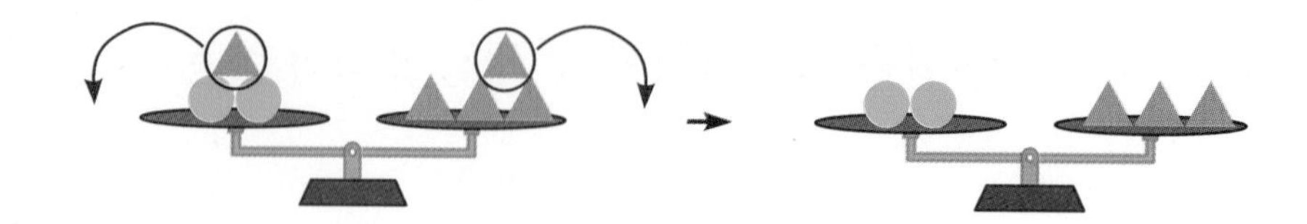

양팔저울의 두 접시에서 각각 모양을 똑같이 2, 3, ··· 묶음으로 나누고 같은 개수와 묶음을 내려도 평형이 유지돼.

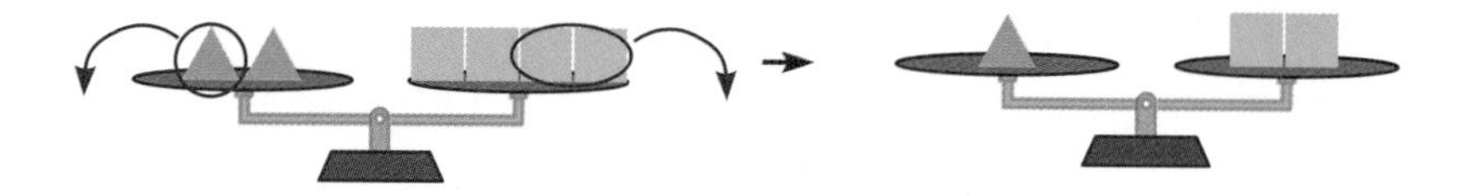

반대로 양팔저울의 두 접시에서 같은 모양을 올리거나 똑같이 2배, 3배, ··· 해도 평형이 유지돼.

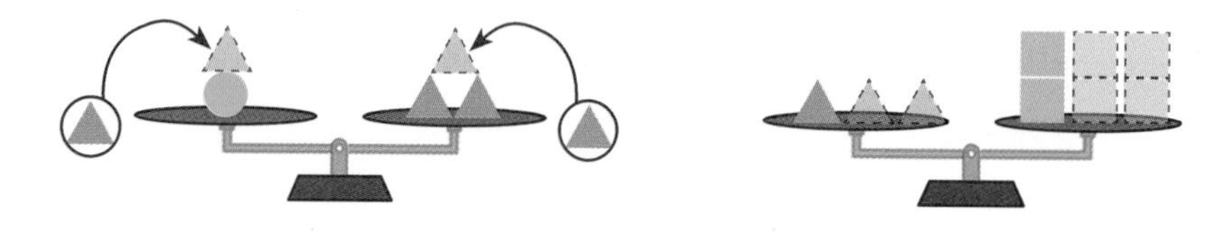

양팔저울이 평형을 이루도록 빈 접시에 ■ 모양을 그리시오.

(1)

(2)

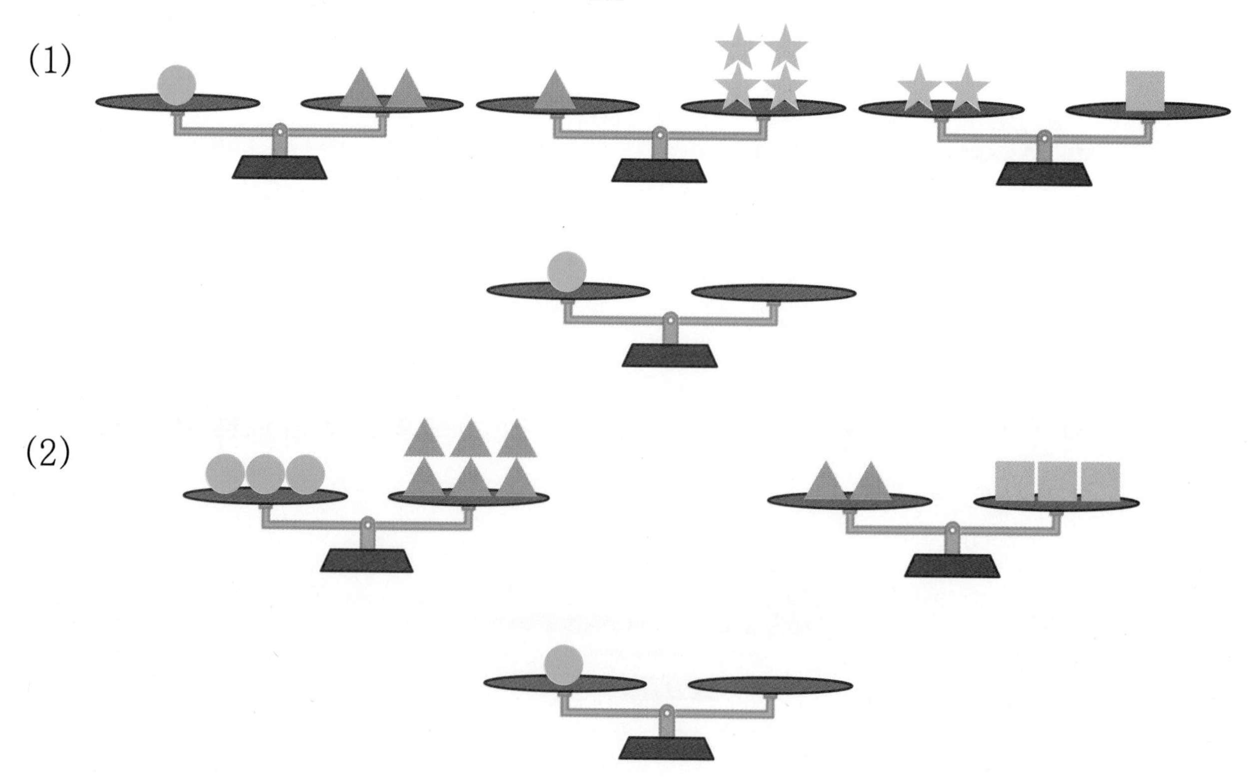

1 양팔저울

탐구 유형 1-1 같은 것 내리기

오른쪽 양팔저울이 평형을 이루도록 빈 접시에 올려야 하는 ●을 ○로 그리시오.

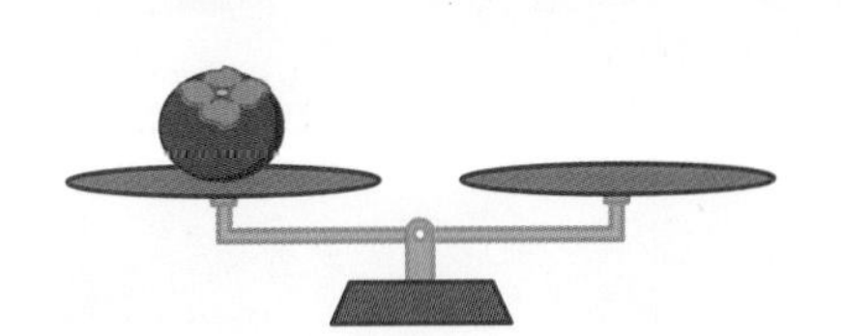

Point 왼쪽 양팔저울에서 두 접시에 똑같이 올라가 있는 과일을 먼저 모두 내립니다.

(1) 왼쪽 양팔저울에서 두 접시에 똑같이 올라간 과일을 /표로 모두 지우시오.

(2) 오른쪽 양팔저울의 빈 접시 위에 ●을 ○로 그리시오.

연습 01 양팔저울이 평형을 이루도록 하기 위해서 빈 접시에 올려야 할 과일의 개수를 □ 안에 써넣으시오.

(1)

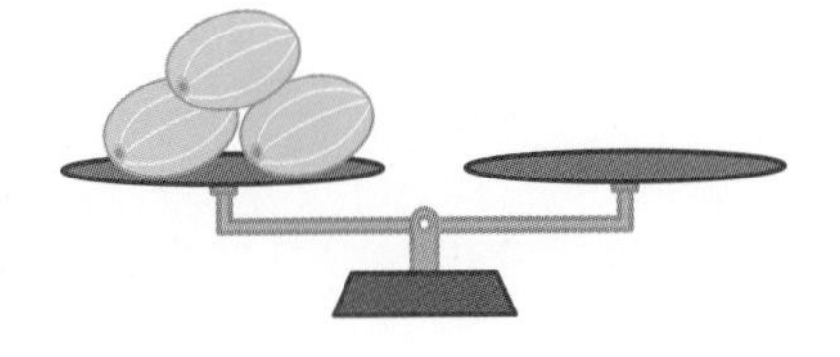

□개

(2)

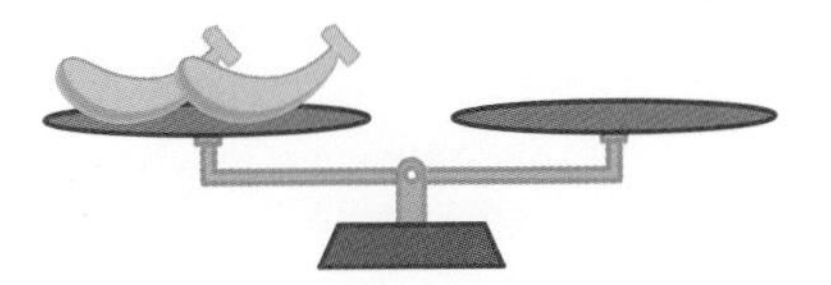

□개

(3)

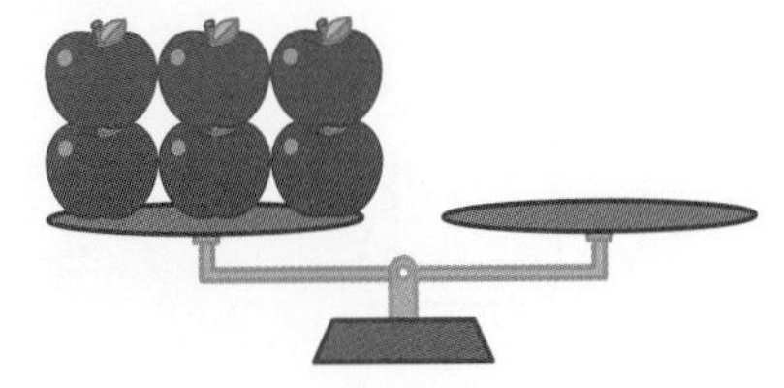

□개

탐구 유형 1-2 **바꾸어 올리기**

양팔저울이 평형을 이루도록 빈 접시에 올려야 하는 클립의 개수를 구하시오.

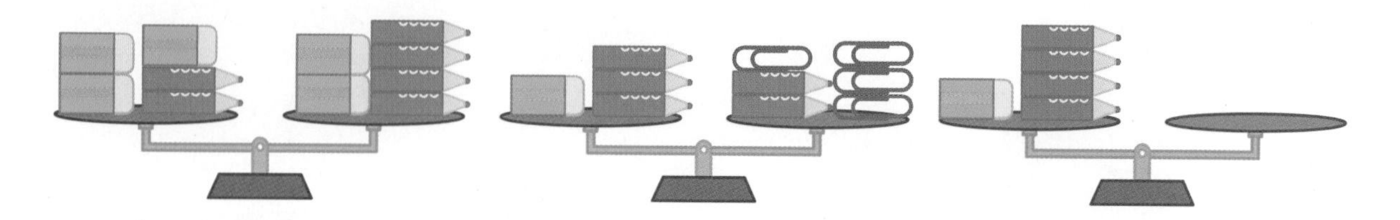

• Point 첫 번째 양팔 저울에서 똑같이 올라간 물건에 /표 해 지우개와 연필의 무게를 비교합니다.

(1) 양팔저울에서 두 접시에 똑같이 올라간 물건을 /표로 모두 지우시오.

(2) 지우개 1개의 무게는 연필 몇 개의 무게와 같습니까?

□개

(3) 가운데 양팔저울에서 지우개를 연필로 바꾸어 올렸을 때 연필와 클립은 서로 몇 개의 무게가 같은지 □ 안에 알맞은 수를 써넣으시오.

연필 □개 = 클립 □개

(4) 오른쪽 양팔저울의 빈 접시에 올려야 하는 클립는 몇 개입니까?

□개

연습 01 포크와 순가락의 무게를 각각 구하시오.

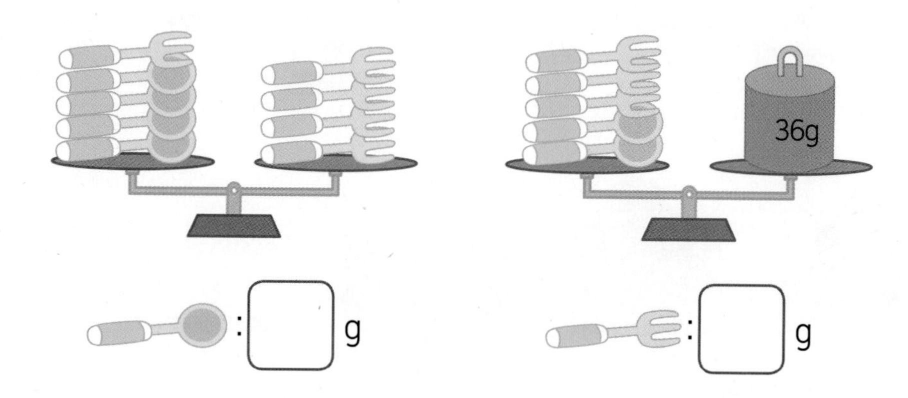

연습 02 양팔저울이 평형을 이루도록 빈 접시에 올려야 하는 ■의 개수를 □ 안에 써넣으시오.

(1)

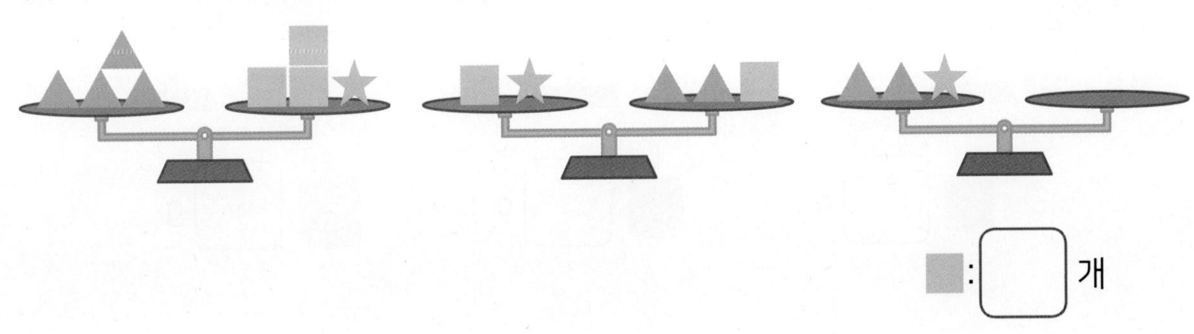

■: □개

(2)

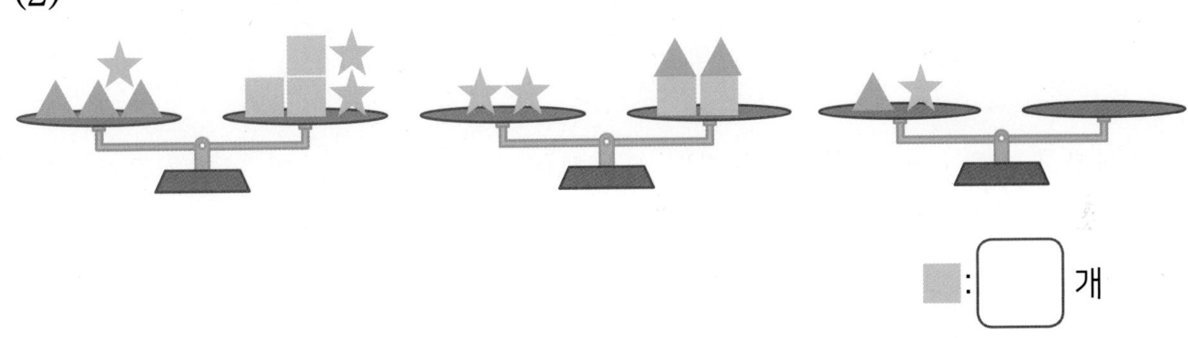

■: □개

(3)

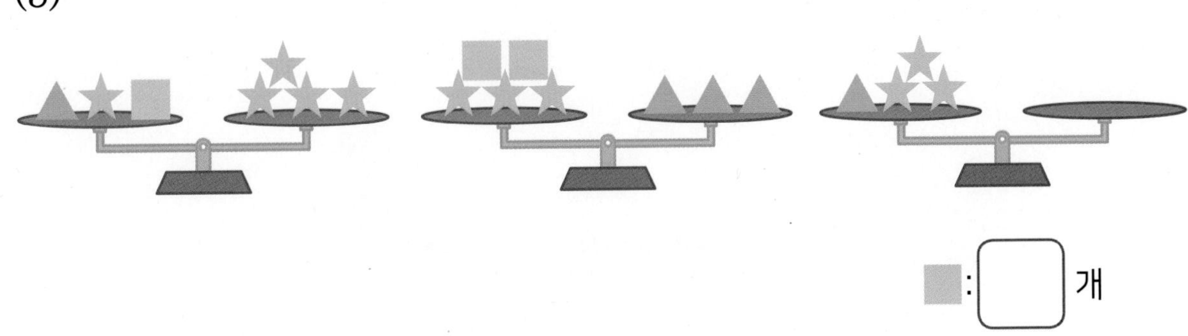

■: □개

연습

03 무게가 서로 다른 추 ㉠, ㉡, ㉢과 무게를 알고 있는 지우개와 클립을 사용하여 양팔저울이 평형을 이루도록 만들었을 때, 세 추의 무게를 구하시오.

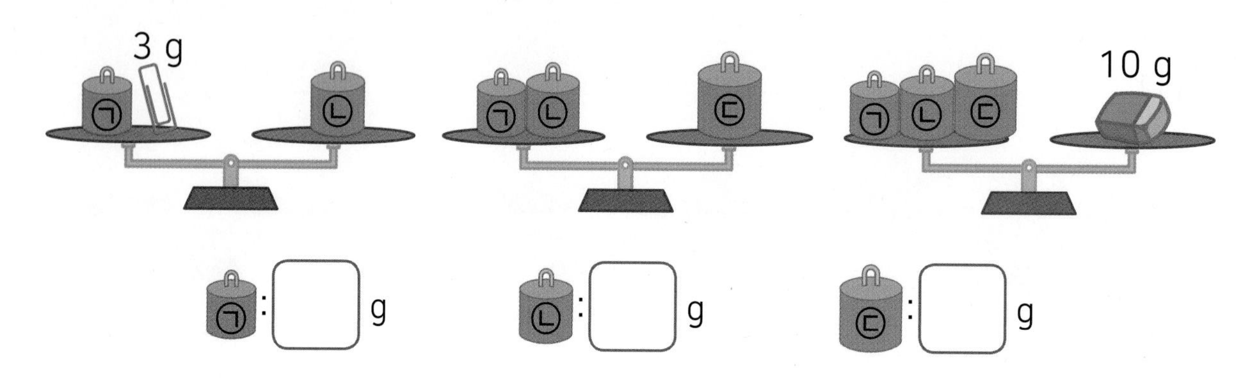

㉠: ☐ g　　㉡: ☐ g　　㉢: ☐ g

연습

04 무게가 1 g, 3 g, 9 g인 추를 1개씩 사용하여 곰 인형이 올라간 양팔저울이 평형을 이루도록 만들려고 합니다. 양팔저울의 두 접시 위에 추를 알맞게 그리시오.

2 두 식 문제

양팔저울과 식의 비슷한 성질을 알아봅시다.

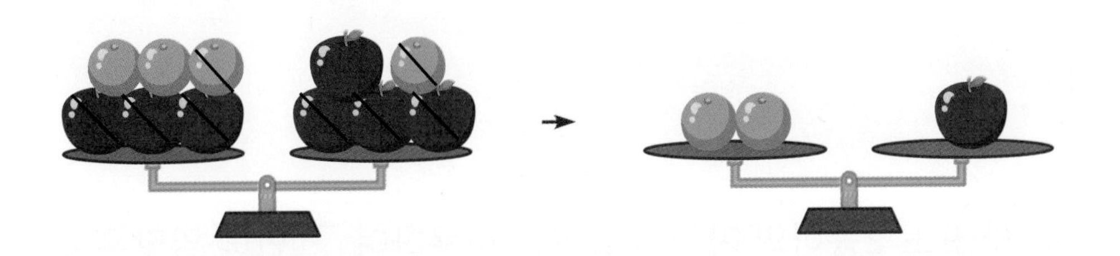

사과 3개의 무게 + 귤 3개의 무게 = 사과 4개의 무게 + 귤 1개의 무게

↓

귤 2개의 무게 = 사과 1개의 무게

평형을 이룬 양팔저울처럼 식의 양쪽에서 똑같이 사과 3개와 귤 1개를 지울 수 있어. 그럼 사과 1개의 무게가 귤 2개의 무게와 같다는 사실을 알 수 있지.

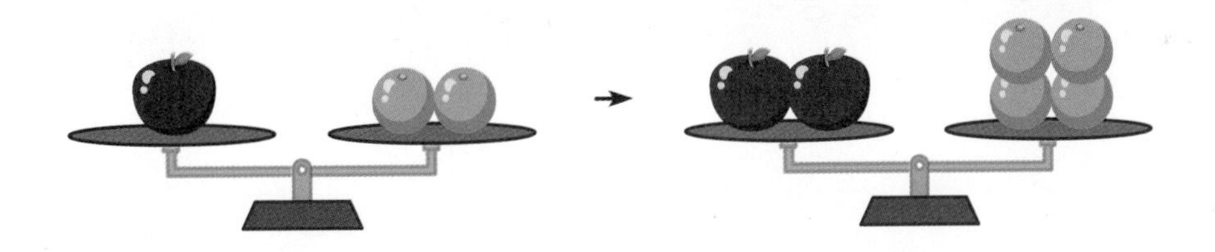

사과 1개의 무게 = 귤 2개의 무게 → 사과 2개의 무게 = 귤 4개의 무게

→ 사과 3개의 무게 = 귤 6개의 무게

→ 사과 4개의 무게 = 귤 8개의 무게

마찬가지로 식의 양쪽에 있는 사과와 귤의 개수를 똑같이 2배, 3배, 4배, … 할 수도 있어. 반대로 2등분, 3등분, 4등분, … 할 수도 있지.

양팔저울처럼 식에서도 같은 것을 바꾸어 넣을 수 있어. 식의 양쪽에 같은 것을 바꾸어 넣고 새로운 사실을 발견하면 문제가 해결되곤 하지.

두 식 문제

탐구 유형 2-1 바꾸어 넣어 해결하기1

사과 4개의 가격이 포도 2송이의 가격과 같습니다. 배 1개의 가격이 사과 2개와 포도 2송이의 가격과 같을 때, 배 1개의 가격은 포도 몇 송이의 가격과 같은지 구하시오.

• Point 포도 1송이의 가격은 사과 몇 개의 가격과 같은지 구합니다.

(1) 사과 4개와 포도 2송이의 가격이 같음을 이용하여 □ 안에 알맞은 수를 써넣으시오.

사과 □ 개 = 포도 1송이

(2) 사과를 포도로 바꾸어 넣으려고 할 때, □ 안에 알맞은 수를 써넣으시오.

배 1 개 = 사과 2개 + 포도 2송이
= 포도 □ 송이 + 포도 2송이

(3) 배 1개의 가격은 포도 몇 송이의 가격과 같습니까?

연습 01 사탕 3개와 초콜릿 2개의 값이 같습니다. 사탕 4개와 초콜릿 2개가 700원이라면 초콜릿 1개의 값은 얼마입니까?

연습 02 ㉠ 수도꼭지에서 2분 동안 나오는 물과 ㉡ 수도꼭지에서 6분 동안 나오는 물의 양이 같습니다. ㉠ 수도꼭지로 5분, ㉡ 수도꼭지로 7분 동안 물을 채우면 욕조가 가득 찰 때 ㉡ 수도꼭지만 사용하여 욕조에 물을 채우면 몇 분이 걸립니까?

연습 03 준서가 자전거를 타고 4분이면 가는 거리를 걸어서 가면 8분 걸립니다. 집에서 학교까지 자전거를 타고 7분 가고, 다시 걸어서 3분 더 가니 학교에 도착했습니다. 자전거를 타지 않고 걸어서 집에서 학교까지 가면 몇 분 걸리는지 구하시오.

연습 04 식탁의 세로 길이는 포크 8개의 길이와 같고, 젓가락 6개의 길이와도 같습니다. 식탁의 가로 길이는 포크 6개와 젓가락 9개의 길이와 같다면 식탁의 가로 길이는 세로 길이보다 포크 몇 개만큼 더 깁니까?

두 식 문제

탐구 유형 2-2 바꾸어 넣어 해결하기2

연필 10자루의 가격은 공책 1권과 색연필 2자루의 가격과 같고, 연필 5자루와 색연필 2자루의 가격은 공책 1권의 가격과 같습니다. 공책 1권의 가격은 색연필 몇 자루의 가격과 같은지 구하시오.

• Point 공책 1권을 연필 5자루와 색연필 2자루로 바꾸어 생각할 수 있습니다.

(1) ☐ 안에 알맞은 수를 써넣으시오.

연필 ☐ 자루 = 공책 ☐ 권 + 색연필 ☐ 자루

연필 ☐ 자루 + 색연필 ☐ 자루 = 공책 ☐ 권

(2) (1)의 첫 번째 식에서 공책을 연필과 색연필로 바꾸어 ☐ 안에 알맞은 수를 써넣으시오.

연필 ☐ 자루 = 연필 ☐ 자루 + 색연필 ☐ 자루

(3) (2)의 식의 양쪽에서 같은 것을 서로 없애면 연필 몇 자루와 색연필 몇 자루의 가격이 같은지 ☐ 안에 알맞은 수를 써넣으시오.

연필 ☐ 자루 = 색연필 ☐ 자루

(4) 공책 1권의 가격은 색연필 몇 자루의 가격과 같습니까?

연습

01 가위 2개와 자 1개의 가격은 풀 4개의 가격과 같고, 가위 1개와 풀 1개의 가격은 자 1개의 가격과 같습니다. 가위 1개의 가격은 풀 몇 개의 가격과 같습니까?

연습 02 소 2마리와 말 1마리의 무게의 합은 코끼리 1마리의 무게와 같고, 말 1마리와 코끼리 1마리의 무게의 합은 소 3마리의 무게와 같습니다. 소 1마리의 무게는 말 몇 마리의 무게와 같습니까?

연습 03 첫째 나이의 2배에 둘째 나이의 2배를 더하면 셋째 나이의 7배이고, 둘째 나이의 2배에 셋째의 나이를 더하면 첫째 나이의 2배입니다. 셋째의 나이가 4살일 때 첫째는 몇 살입니까?

연습 04 사과 4상자와 배 1상자의 무게는 복숭아 8상자의 무게와 같고, 배 2상자와 복숭아 2상자의 무게는 사과 4상자와 같습니다. 사과 2상자의 무게는 복숭아 몇 상자의 무게와 같습니까?

두 식 문제

탐구 유형 2-3 식과 식 더하기

● 2개와 ● 1개의 무게는 13g 이고, ● 1개와 ● 2개의 무게는 14g 입니다. 두 구슬의 무게를 각각 구하시오.

• Point 보라색 구슬은 모두 3개, 빨간색 구슬도 모두 3개 있습니다.

(1) □ 안에 알맞은 무게를 써넣으시오.

● 2개 + ● 1개

● 1개 + ● 2개

● 3개 + ● 3개 = □ g

(2) □ 안에 알맞은 무게를 써넣으시오.

● 1개 + ● 1개 = □ g

(3) 두 구슬의 무게를 각각 구하시오.

연습

01 연필 1자루와 색연필 2자루를 사려면 1000원이 필요하고, 연필 2자루와 색연필 1자루를 사려면 800원이 필요합니다. 연필만 3자루를 사려면 얼마가 필요합니까?

연습 02 두 수 ㉠, ㉡의 합을 구하시오.

· ㉠의 3배와 ㉡의 2배의 합은 19입니다.
· ㉠의 2배와 ㉡의 3배의 합은 16입니다.

연습 03 과자 1개의 값과 사탕 3개의 값은 800원이고, 과자 3개의 값과 사탕 1개의 값은 1600원입니다. 과자 1개의 값은 얼마입니까?

3 여러 가지 저울

탐구 유형 3-1 여러 가지 저울

무게가 6 g인 용수철 저울을 사용하여 두 가지 방법으로 무게를 재고, 용수철이 가리키는 눈금을 용수철 저울 옆에 적었습니다. 다음 ▢ 안에 용수철이 가리키는 눈금의 수를 써넣으시오. 단, 연결선의 무게는 무시합니다.

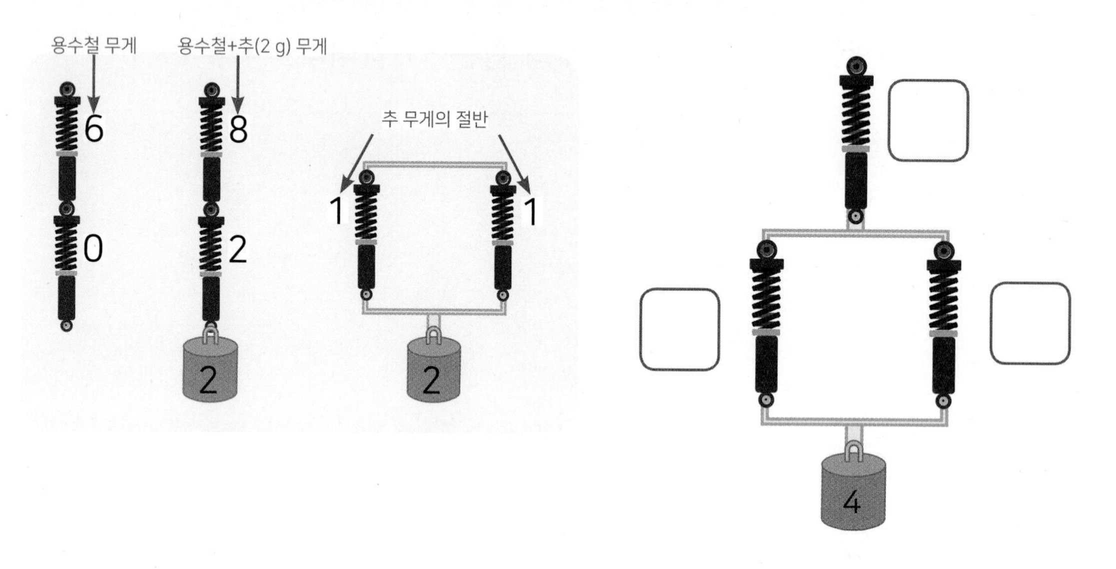

Point 용수철이 가리키는 눈금의 합은 용수철 아래에 달린 모든 용수철과 추의 무게의 합과 같습니다.

연습

01 용수철을 연결하여 무게를 재고 용수철이 나타내는 눈금을 표시했습니다. 용수철의 무게와 추의 무게를 각각 구하시오. 단, 연결선의 무게는 무시합니다.

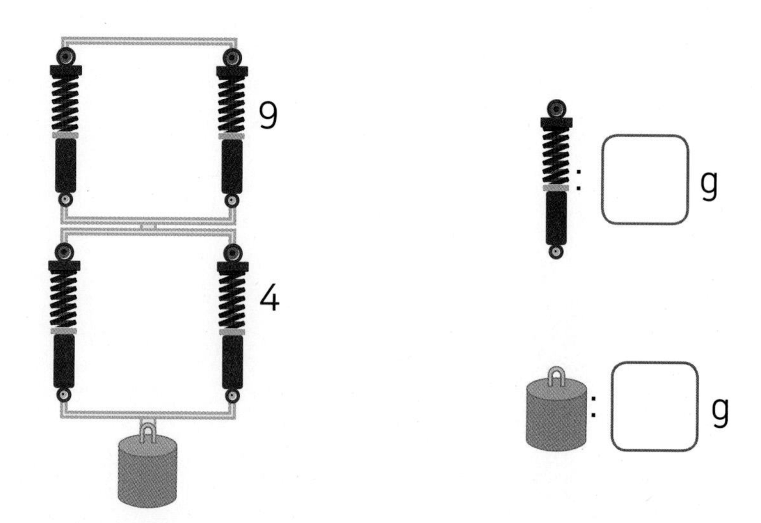

연습

02 저울 여러 개를 이어붙여 무게를 잴 수 있습니다. ㉠, ㉡, ㉢ 막대의 무게를 다음과 같이 재었을 때, ㉠ 막대의 무게와 ㉢ 막대의 무게의 합을 구하시오.

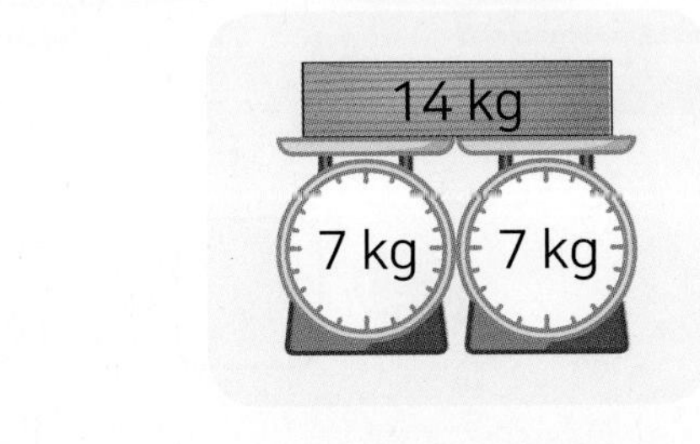

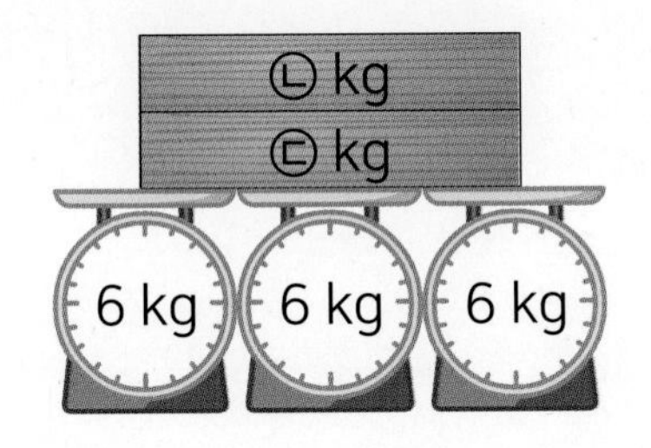

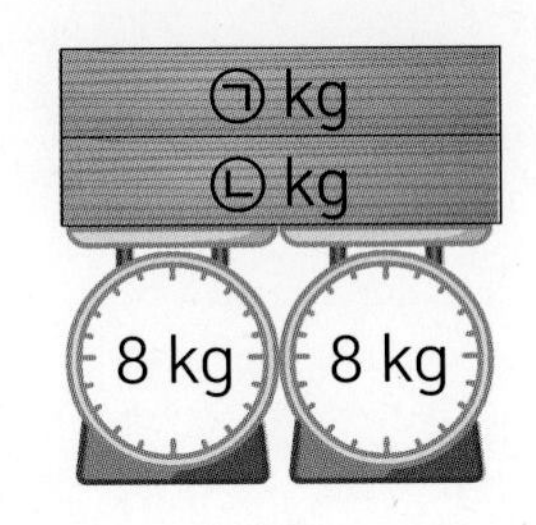

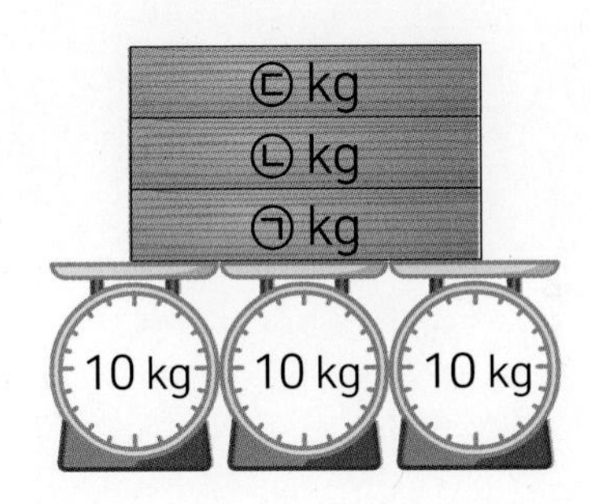

연습

03 같은 저울 3개를 쌓아서 곰 인형과 토끼 인형의 무게를 각각 재었습니다. 토끼 인형의 아래 두 저울은 몇 kg을 나타내는지 구하시오.

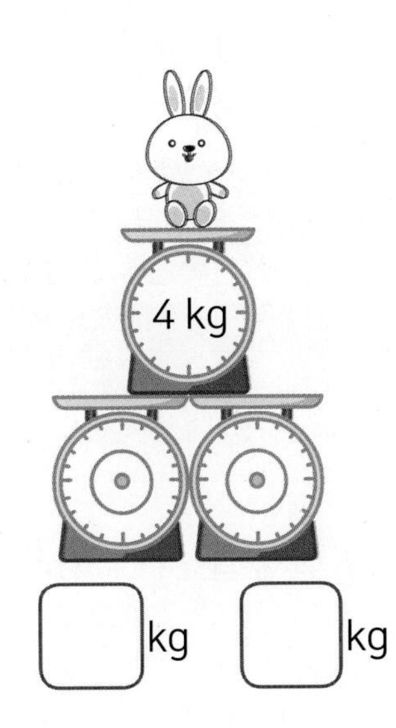

> ❗ ▢의 무게를 먼저 구합니다.

01 ▢의 무게를 구하시오.

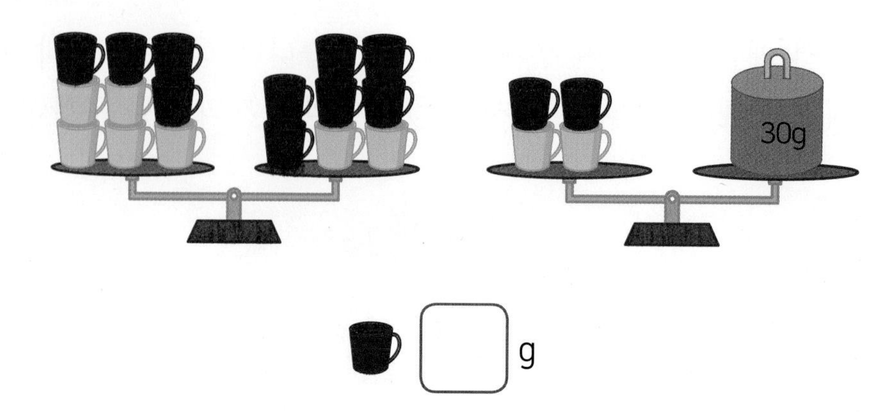

▢ ☐ g

> ❗ 두 방법에서 큰 컵 4번과 작은 컵 6번을 똑같이 없애고 비교해 봅니다.

02 큰 컵으로 4번, 작은 컵으로 9번 물을 채우거나 큰 컵으로 5번, 작은 컵으로 6번 물을 채우면 물통이 가득 찹니다. 작은 컵으로만 물통을 가득 채우려면 몇 번 채워야 하는지 구하려고 합니다. 물음에 답하시오.

(1) 물통을 가득 채우는 두 방법에서 똑같이 채우는 방법을 없애고 서로 비교하면 큰 컵으로 1번 채우는 것은 작은 컵으로 몇 번 물을 채우는 것과 같음을 알 수 있습니까?

(2) 물통을 작은 컵으로 가득 채우려면 몇 번 채워야 합니까?

접는 선

03 다음과 같이 수학 저울을 평형하게 만들 수 있습니다. 다음 □ 안에 추의 무게를 써넣으시오.

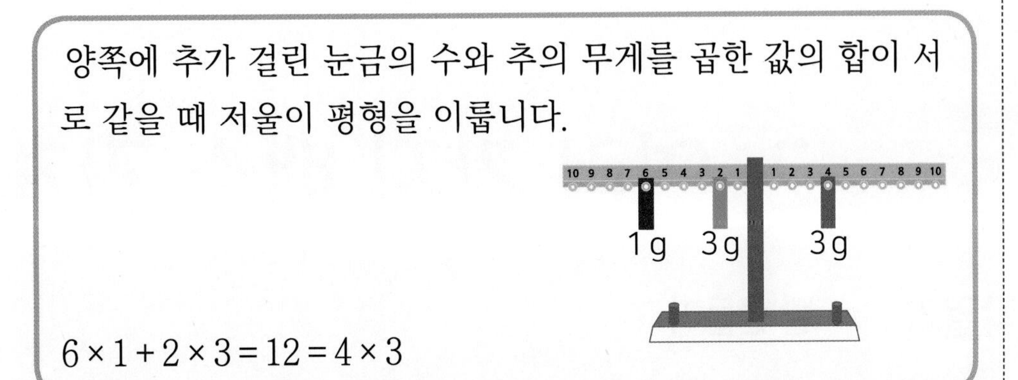

(1) (2)

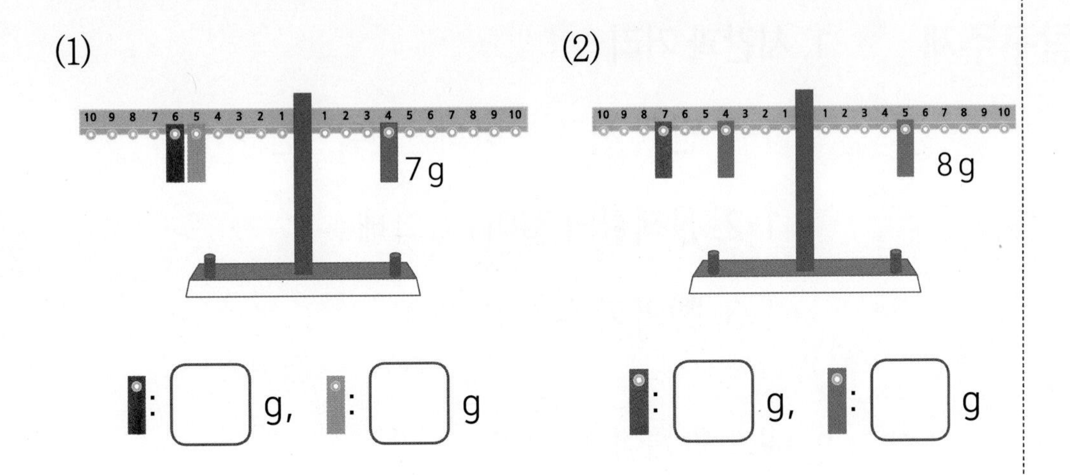

(1) ■: □ g, ■: □ g

(2) ■: □ g, ■: □ g

(1): ■ × 6 + ■ × 5 = 7 × 4 입니다.

(2): ■ × 7 + ■ × 4 = 8 × 5 입니다.

TOP of TOP

04 첫째와 둘째의 나이의 합은 17살, 둘째와 셋째의 나이의 합은 10살, 셋째와 첫째의 나이의 합은 13살입니다. 첫째는 몇 살입니까?

방법 1
세 식을 모두 더하여 한꺼번에 생각하면 첫째와 둘째와 셋째의 나이의 합의 2배를 알 수 있습니다.

방법2
첫째와 둘째의 나이의 합과 둘째와 셋째의 나이의 합을 비교하면 둘째는 공통으로 들어가므로 첫째와 셋째의 나이의 차를 알 수 있습니다.

접는 선

TOP 사고력 수학

2. 여러 가지 배수 관계

생각열기 빵 만들기

탐구주제

1. 시간과 거리
   - **1-1. 단위 시간** / 1이 아닌 단위 시간
   - **1-2. 산책길의 길이** / 합의 배수
   - **1-3. 빵의 개수** / 차의 배수
2. 배수 관계의 합과 차
   - **2-1. 과수원 나무의 수** / 배수 관계의 합
   - **2-2. 빨간 장미, 노란 장미** / 배수 관계의 차
   - **2-3. 고모의 나이** / 나이의 합과 차의 규칙
3. 조건 2개인 배수관계
   - **3-1. 종이학 접기** / 배수가 되는 조건이 2개

TOP 사고력

빵 만들기

빵 만드는 속도가 같은 제빵사 4명이 1시간 동안 빵 20개를 만들 수 있습니다.

제빵사 1명이 1시간 동안 빵 몇 개를 만들 수 있습니까?

제빵사 7명이 1시간 동안 빵 몇 개를 만들 수 있는지 구하시오.

1시간 동안, 제빵사 4명은 빵 20(= 4 × 5)개를 만들 수 있고, 제빵사 1명은 빵 5개를 만들 수 있어.

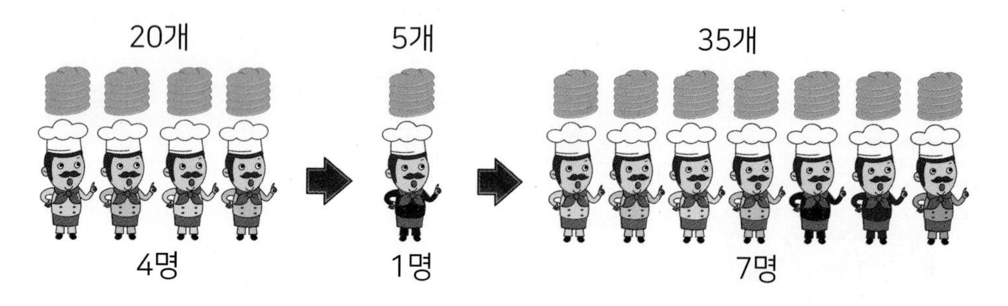

제빵사 7명이 만들 수 있는 빵의 개수는 같은 시간 동안 1명이 만들 수 있는 빵의 개수의 7배야. 한 시간 동안 빵을 35(= 7 × 5)개 만들 수 있지.

여러 명이 하는 일의 양을 구하려면 먼저 1명이 하는 일의 양을 구해야 해!

4명이 하루에 장난감 4개를 만듭니다.

(1) 같은 속도로 8명이 하루에 만들 수 있는 장난감 개수를 구하시오.

(2) 같은 속도로 몇 명이 하루에 장난감 9개를 만들 수 있는지 구하시오.

수도꼭지 3개를 20분 동안 틀어놓으면 물 12 L가 나옵니다.

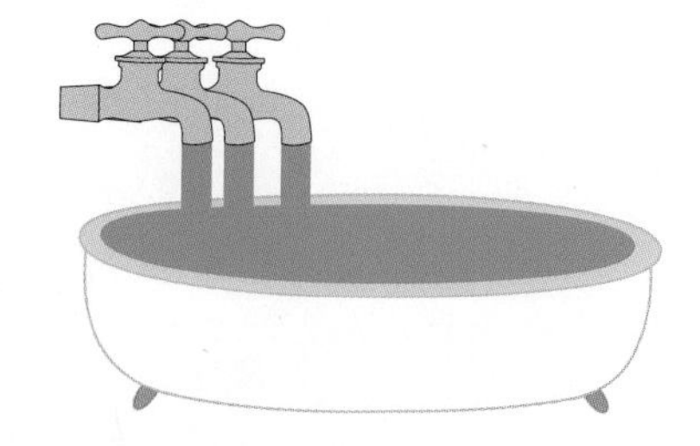

수도꼭지 몇 개를 20분 동안 틀면 32 L 욕조가 가득 차는지 구하시오.

시간과 거리

연필 4개의 길이는 바둑돌 14개의 길이와 같고 나무막대 1개는 바둑돌 35개의 길이와 같습니다. 연필의 길이로 나무막대의 길이를 나타낼 수 있는지 생각해 봅시다.

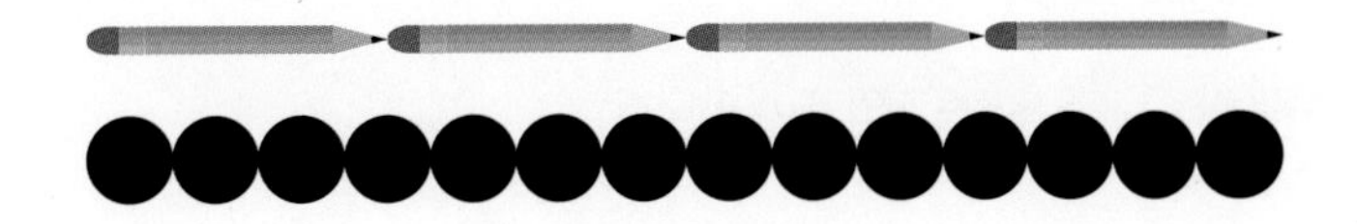

연필 2개의 길이는 바둑돌 몇 개의 길이와 같습니까?

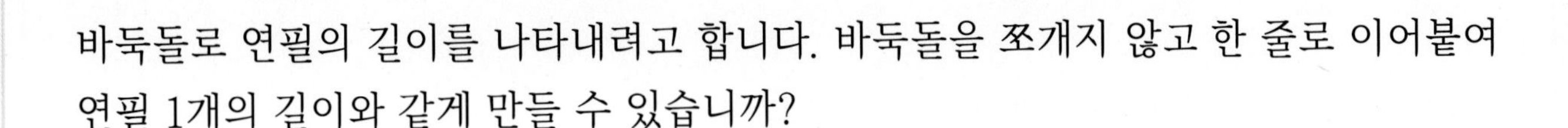

바둑돌로 연필의 길이를 나타내려고 합니다. 바둑돌을 쪼개지 않고 한 줄로 이어붙여 연필 1개의 길이와 같게 만들 수 있습니까?

연필 2개씩 연속해서 연결해 봅시다.

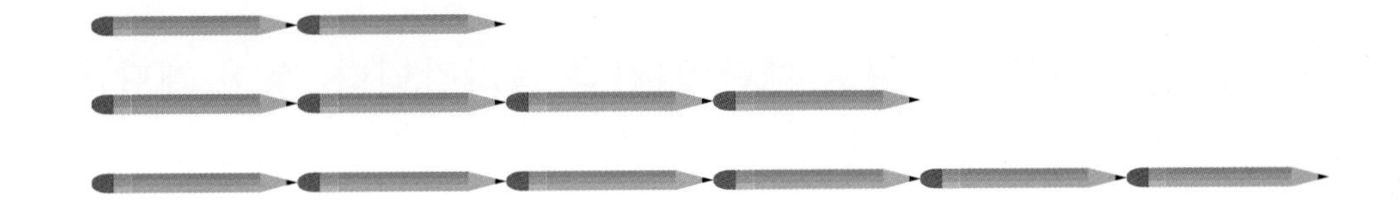

연필 2개씩 몇 번 연결해야 나무막대 1개의 길이와 같아집니까?

나무막대 1개는 연필 몇 개의 길이와 같은지 구하시오.

하나의 단위를 1개로 정하지 않아도 돼. 연필 2개를 하나의 단위라고 생각하고 나무막대의 길이를 나타내보자!

시간과 거리

탐구 유형 1-1 단위 시간

수학 공부 중인 예진이는 8분 동안 10문제를 풉니다. 같은 속도로 35문제를 푸는데 걸리는 시간을 구하시오.

Point 35는 10의 배수가 아닙니다. 35는 5의 배수입니다.

(1) 예진이가 5문제 푸는데 몇 분 걸립니까?

(2) 5에 몇을 곱하면 35가 됩니까?

(3) 예진이가 35문제 푸는데 몇 분 걸립니까?

연습 01 동생이 계단 6칸을 올라갈 때 형은 계단 21칸을 올라갑니다. 형이 계단 49칸을 올라갈 때 동생은 계단 몇 칸을 오르는지 구하시오.

연습 02 18분 동안 책을 8쪽 읽습니다. 같은 속도로 책을 45분 동안 읽으면 몇 쪽을 읽을 수 있는지 구하시오.

탐구 유형 1-2 산책길의 길이

깜이와 냥이가 산책길의 양 끝에서 서로가 있는 곳을 향해 걷습니다.

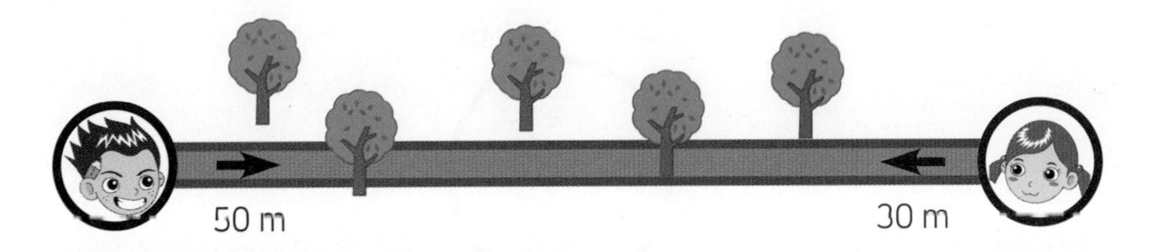

깜이는 1분에 50 m씩, 냥이는 1분에 30 m씩 걸어갑니다. 산책길의 길이가 400 m일 때 두 사람은 몇 분 후에 만나는지 구하시오.

Point 두 사람 사이의 거리는 계속 줄어듭니다. 1분에 몇 m씩 줄어드는지 먼저 구합니다.

(1) 두 사람 사이의 거리는 1분에 몇 m씩 가까워집니까?

(2) 산책길의 길이는 (1)번에서 구한 거리의 몇 배입니까?

(3) 두 사람은 몇 분 후에 만나는지 구하시오.

연습 01 갈색 띠 1개의 길이는 5 cm이고 초록색 띠 1개의 길이는 4 cm입니다.

두 가지 색의 띠를 겹치는 부분 없이 연결해 만든 띠의 전체 길이를 구하시오.

연습

02 지연, 수만이는 둘레의 길이가 560 m인 운동장 둘레를 따라 걷습니다.

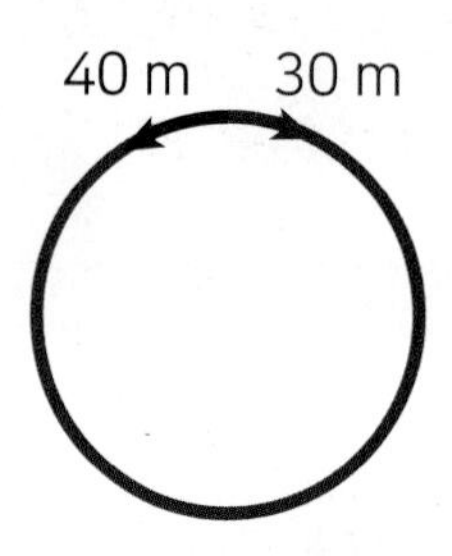

지연이는 시계 반대 방향으로 2분에 40 m씩, 수만이는 시계 방향으로 2분에 30 m씩 걸을 때 몇 분 후에 두 사람이 처음으로 만나는지 구하시오.

연습

03 연수는 지민이보다 64층 위에 있습니다. 연수는 5분에 6층씩 내려가고 지민이는 5분에 2층씩 올라갑니다. 두 사람은 몇 분 후에 만나는지 구하시오.

연습

04 어느 섬에 토끼 7마리, 사슴 2마리가 있습니다. 토끼는 2년에 7마리씩 늘어나고 사슴은 2년에 2마리씩 늘어납니다. 섬에 사는 토끼와 사슴의 마릿수의 합이 81이 되는 해는 몇 년 후인지 구하시오.

탐구 유형 1-3 **빵의 개수**

빵집의 제빵사가 빵을 10분마다 3개씩 새로 굽고, 10분마다 5개씩 빵이 팔립니다. 50분이 지난 후 모든 빵이 팔렸을 때 처음에 있던 빵의 개수를 구하시오.

Point 빵이 팔리면서 만들어지는 빵도 있기 때문에 10분마다 줄어드는 빵의 전체 개수는 5개보다 적습니다.

(1) 10분 동안 빵이 몇 개 줄어듭니까?

(2) 50분 동안 빵이 몇 개 줄어듭니까?

(3) 처음에 있던 빵의 개수를 구하시오.

연습 01 빈 항아리가 깨져 1분에 4 L씩 물이 샙니다. 2분에 5 L씩 물을 채우는데 물이 샌지 20분 후에 항아리가 비었습니다. 처음에 항아리에 있던 물의 양을 구하시오.

연습 02 사과 1개를 200원에 사서 2개에 900원에 팝니다. 사온 사과를 모두 팔아 번 돈이 2500원일 때 사과 몇 개를 팔았는지 구하시오.

2 배수 관계의 합과 차

탐구 유형 2-1 과수원 나무의 수

과수원에 사과나무와 배나무가 모두 32그루 있는데 그 중 배나무의 수는 사과나무 수의 3배입니다. 사과나무와 배나무가 각각 몇 그루씩 있는지 구하시오.

Point 전체 나무의 수는 사과나무의 몇 배인지 생각합니다.

(1) □를 한 개 색칠해 사과나무의 개수를 나타냈습니다. 배나무의 개수를 나타내려면 □를 몇 개 색칠해야 됩니까?

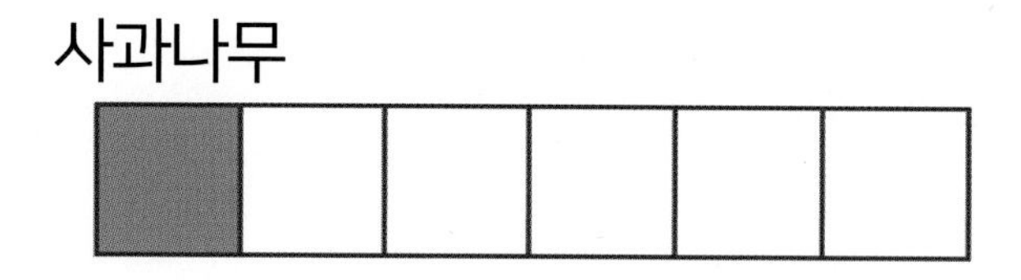

(2) 과수원의 나무는 사과나무의 몇 배입니까?

(3) 사과나무와 배나무의 수를 각각 구하시오.

사과나무: ______ 그루 배나무: ______ 그루

연습 01 고기만두의 개수는 김치만두의 4배입니다. 만두가 모두 30개 있을 때 고기만두의 개수를 구하시오.

연습 02 어항에 두 종류의 금붕어가 49마리 있습니다. 노란색 금붕어의 수는 빨간색 금붕어의 6배일 때 노란색 금붕어는 몇 마리 있는지 구하시오.

탐구 유형 2-2 빨간 장미, 노란 장미

빨간 장미 1송이, 노란 장미 3송이로 꽃다발 1개를 만듭니다. 노란 장미가 빨간 장미보다 12송이 더 많고, 꽃다발을 몇 개 만드니 남는 장미가 없었습니다. 노란 장미의 개수를 구하시오.

Point 꽃다발 몇 개가 있어야 노란 장미가 12개 더 많아지는지 생각합니다.

(1) 꽃다발 1개를 만들 때마다 노란 장미가 빨간 장미보다 몇 송이씩 더 많아집니까?

(2) 꽃다발을 몇 개 만들었습니까?

(3) 노란 장미는 몇 송이인지 구하시오.

연습 01 어느 빵집에서는 팥빵 1개와 식빵 5개를 묶음으로 팔고 있습니다. 묶음을 만들며 사용한 식빵의 개수가 팥빵보다 24개 더 많을 때, 식빵의 개수를 구하시오.

연습

02 곰인형의 무게는 토끼 인형의 3배입니다. 저울을 보고 곰인형의 무게는 몇 kg인지 구하시오.

연습

03 빨간색 저금통에는 500원짜리 동전을, 파란색 저금통에는 100원짜리 동전을 넣었습니다.

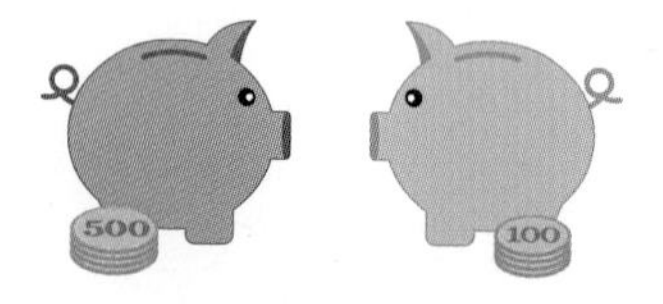

빨간색 저금통에 들어있는 돈이 1600원 많고 두 저금통에 들어있는 동전의 개수가 같을 때 빨간색 저금통에 들어있는 돈은 얼마인지 구하시오.

탐구 유형 2-3 고모의 나이

수진이와 고모의 나이의 합은 40살이고, 5년 전에는 고모의 나이가 수진이 나이의 4배였습니다. 올해 고모의 나이를 구하시오.

Point 5년 전 고모와 수진이 나이를 합치면 5년 전 수진이 나이의 배수가 됩니다.

(1) 5년 전 수진이와 고모의 나이를 합하면 몇 살이 됩니까?

(2) (1)번의 답은 5년 전 수진이 나이의 몇 배입니까?

(3) 5년 전 고모는 몇 살인지 구하시오.

(4) 올해 고모는 몇 살인지 구하시오.

연습 01 엄마와 딸의 나이의 합은 42살이고 엄마의 나이는 딸의 나이의 3배보다 6살 더 많습니다. 엄마의 나이를 구하시오.

연습 02 이모와 조카의 나이의 합은 36살이고 이모의 나이는 조카 나이의 4배보다 4살 적습니다. 이모의 나이를 구하시오.

연습
03 올해 규성이의 나이는 5살이고, 4년 후에는 규성이 삼촌의 나이가 규성이 나이의 3배가 됩니다. 올해 삼촌의 나이를 구하시오.

연습
04 재우, 현아, 찬희는 나이가 같습니다. 올해에는 세 사람의 나이의 합이 재우 삼촌의 나이보다 4살 적고, 2년 후에는 세 사람의 나이의 합이 30살이 됩니다. 올해 재우 삼촌은 몇 살인지 구하시오.

연습
05 유리의 언니는 유리보다 2살 많습니다. 올해에는 유리, 언니, 이모의 나이의 합이 37살이고 내년에는 이모의 나이가 유리와 유리 언니 나이의 합의 4배가 됩니다. 올해 유리의 나이를 구하시오.

3 조건 2개인 배수관계

고양이 한 마리가 쥐를 잡는 속도는 모두 같습니다. 고양이의 수와 쥐를 잡는 시간을 보고 몇 마리의 쥐를 잡을 수 있는지 생각해 봅시다.

고양이 2마리가 2시간 동안 쥐 4마리를 잡습니다. 고양이 2마리가 1시간 동안 잡는 쥐의 수, 고양이 1마리가 2시간 동안 잡는 쥐의 수를 각각 구하시오.

고양이 1마리가 1시간에 쥐를 몇 마리 잡는지 구하시오.

고양이 4마리가 1시간 동안 잡는 쥐의 수, 고양이 1마리가 4시간 동안 잡는 쥐의 수를 각각 구하시오.

고양이 4마리가 4시간 동안 잡는 쥐의 수를 구하시오.

고양이 수가 2배, 잡는 시간도 2배니 잡는 쥐의 수도 2배가 될 것이라고 생각하면 안돼. 잡는 쥐의 수는 고양이 수가 늘어나도 늘지만 잡는 시간이 늘어도 늘기 때문이야.

과수원에서 2명이 2분 동안 딸기 8개를 땄습니다. 5명이 4분 동안 딸기를 몇 개 딸 수 있는지 구하시오.

3 조건 2개인 배수관계

탐구 유형 3-1 종이학 접기

3명이 2분 동안 종이학 12개를 접습니다. 같은 속도로 4명이 7분 동안 종이학 몇 개를 접는지 구하시오.

Point 1명이 1분 동안 접을 수 있는 종이학의 수를 생각합니다.

(1) 3명이 1분 동안 접는 종이학은 몇 개입니까?

(2) 1명이 1분 동안 접는 종이학은 몇 개입니까?

(3) 4명이 1분 동안 접는 종이학은 몇 개입니까?

(4) 4명이 7분 동안 종이학 몇 개를 접는지 구하시오.

연습

01 군고구마통 5개로 3시간 동안 군고구마 45개를 만듭니다. 군고구마통 2개로 2시간 동안 군고구마 몇 개를 만들 수 있는지 구하시오.

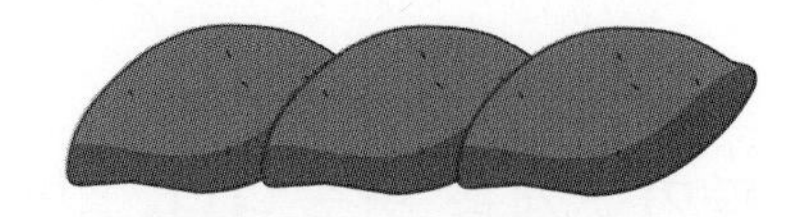

연습

02 4명이 5일 동안 일하면 40만원을 받습니다. 9명이 2일 동안 일하면 얼마를 받는지 구하시오.

연습

03 농부 4명이 3일 동안 쌀 24포대를 수확할 수 있습니다. 농부 6명이 쌀 24포대를 수확하려면 며칠 걸리는지 구하시오.

연습

04 햄스터 9마리가 2일 동안 사료 36봉지를 먹습니다. 3일 동안 햄스터가 사료 30봉지를 먹으려면 몇 마리가 있어야 하는지 구하시오.

4분 동안 두 사람 사이의 거리가 120 m 좁혀졌습니다.

01 걷는 속력이 같은 두 사람이 한 길을 따라 일정한 속도로 서로를 향해 걸어갑니다. 3분 후에 두 사람 사이의 거리는 120 m이고 4분 더 걸으니 두 사람이 만났습니다. 출발할 때 두 사람 사이의 거리를 구하시오.

소희와 언니의 나이 차는 올해 소희 나이의 2배입니다.

02 올해에는 소희 언니가 소희 나이의 3배고, 4년 후에는 소희 언니가 소희 나이의 2배가 됩니다. 올해 소희 언니의 나이를 구하시오.

접는 선

03 9명이 6일 동안 일을 하고 120만원 받습니다. 12명이 9일 동안 일을 하면 얼마를 받아야 하는지 구하시오.

3명이 3일 동안 일을 하면 얼마를 받는지 구합니다.

TOP of TOP

04 올해 예빈이 이모의 나이는 24살입니다. 예빈이가 24살이 되는 해에 이모의 나이는 올해 예빈이 나이의 7배가 됩니다. 올해 예빈이는 몇 살인지 구하시오.

올해 예빈이의 나이와, 예빈이가 24살이 되는 해의 이모의 나이의 차는 올해 예빈이 나이의 6배입니다.

접는 선

TOP 사고력 수학

3. 쌓기나무 놀이

여러 방향에서 본 모양

가로와 세로 방향으로 3가지 색깔의 쌓기나무를 3층까지 쌓았습니다. 각 칸의 수는 쌓기나무의 층수입니다.

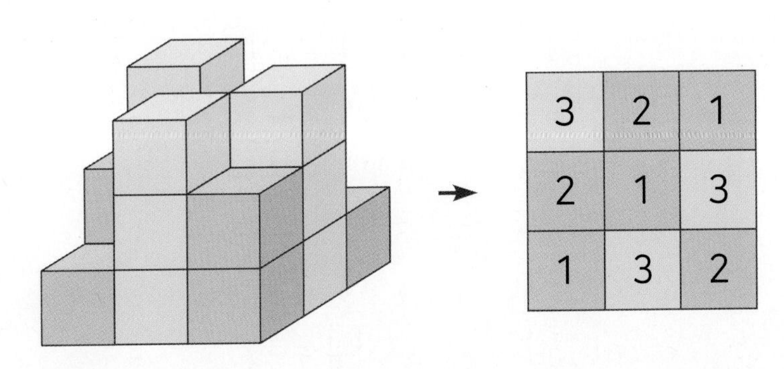

표 밖의 수는 화살표가 가리키는 방향에서 쌓기나무를 보았을 때, 그 줄에서 보이는 쌓기나무 색깔의 개수를 나타낸 것입니다. □ 안에 알맞은 개수를 써넣으시오.

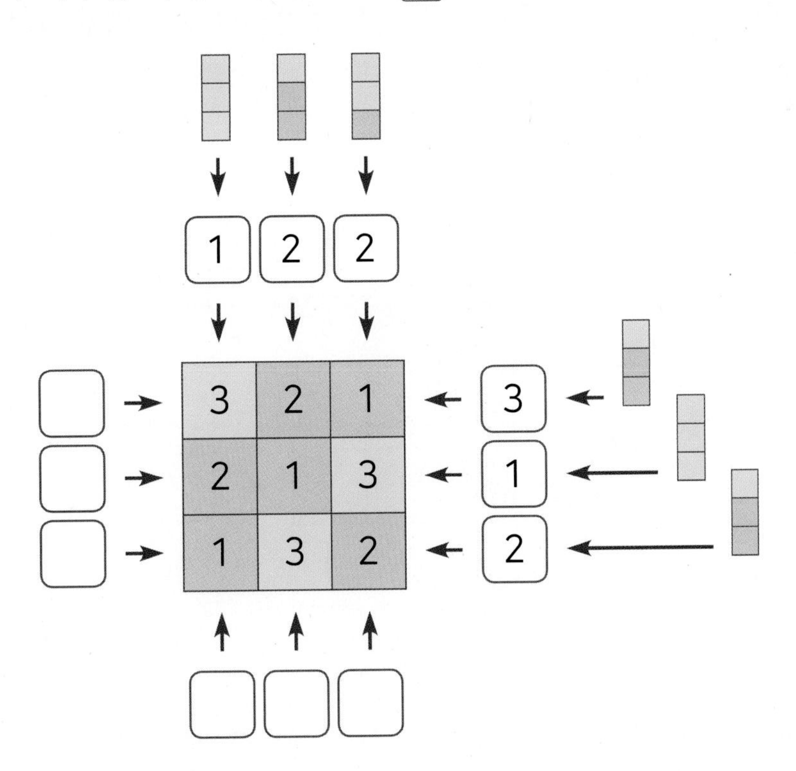

더 높이 쌓은 쌓기나무가 앞에 있다면 뒤에 있는 쌓기나무는 가려져서 보이지 않아.

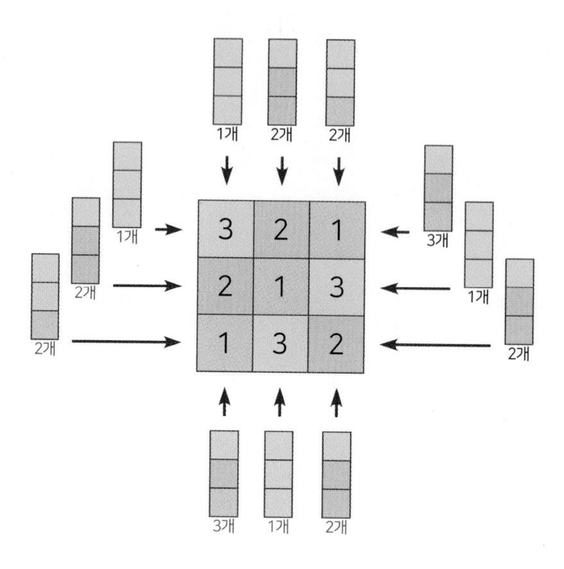

똑같은 줄을 관찰해도 보는 방향에 따라서 다르게 보여. 그래서 오른쪽에서 볼 때와 왼쪽에서 볼 때의 쌓기나무 색깔의 개수가 다를 수 있는거야.

가로와 세로 방향으로 3가지 색깔의 쌓기나무를 3층까지 쌓았습니다. 각 칸의 수는 쌓기나무의 층수입니다.

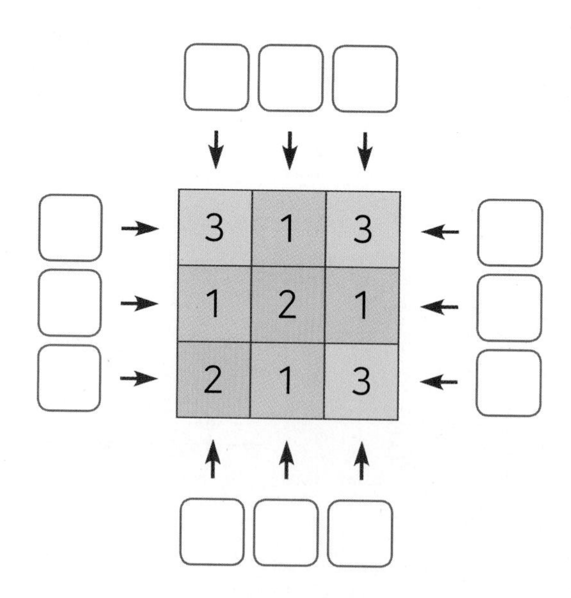

표 밖의 수는 화살표가 가리키는 방향에서 쌓기나무를 보았을 때 그 줄에서 보이는 쌓기나무 색깔의 개수를 나타낸 것입니다. □ 안에 알맞은 개수를 써넣으시오.

1 쌓기나무의 모양

쌓기나무로 만든 모양을 위, 앞, 옆에서 본 모양으로 그릴 수도 있고 위에서 본 모양에서 각 칸에 쌓여있는 쌓기나무의 층수를 구할 수도 있습니다. 두 가지 방법을 서로 비교해봅시다.

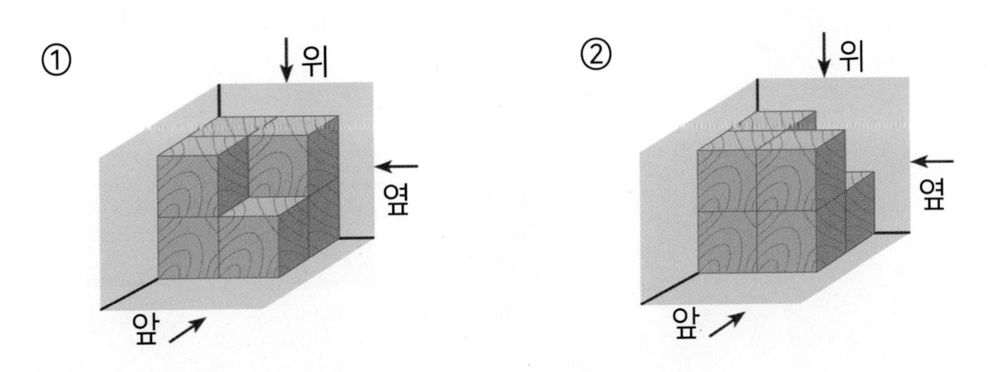

①번 모양을 보고 위, 앞, 오른쪽 옆에서 본 모양을 그리시오.

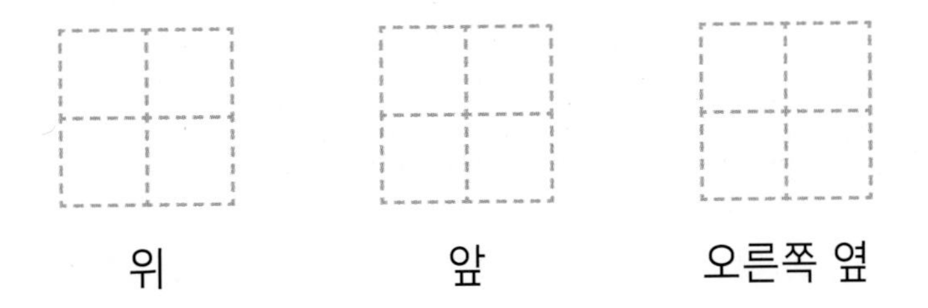

②번 모양을 보고 위, 앞, 오른쪽 옆에서 본 모양을 그리시오.

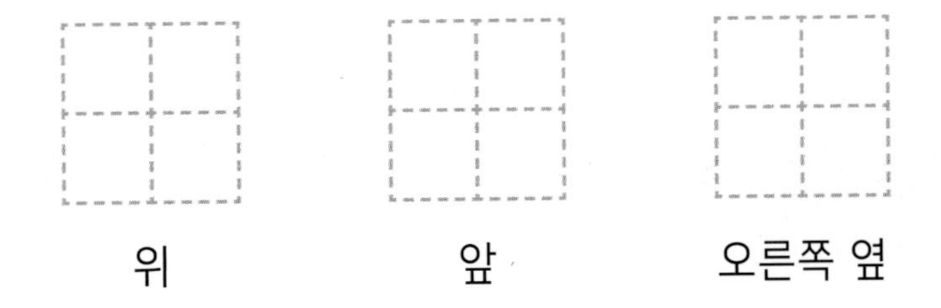

위에서 본 모양을 그리고 각 칸에 쌓인 쌓기나무의 개수를 써넣으시오.

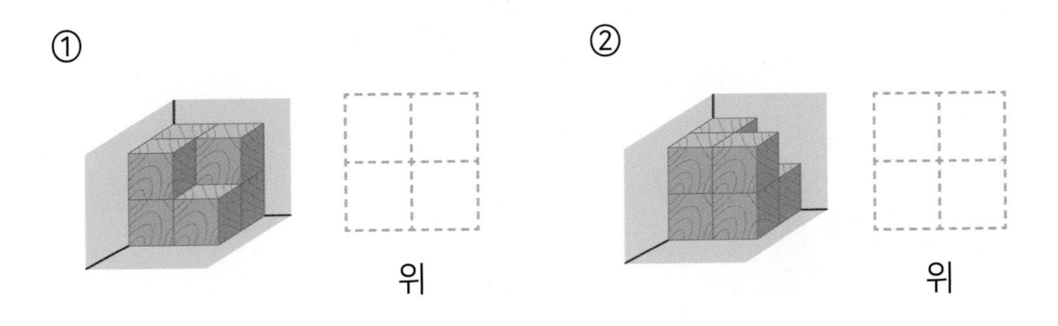

쌓기나무의 모양

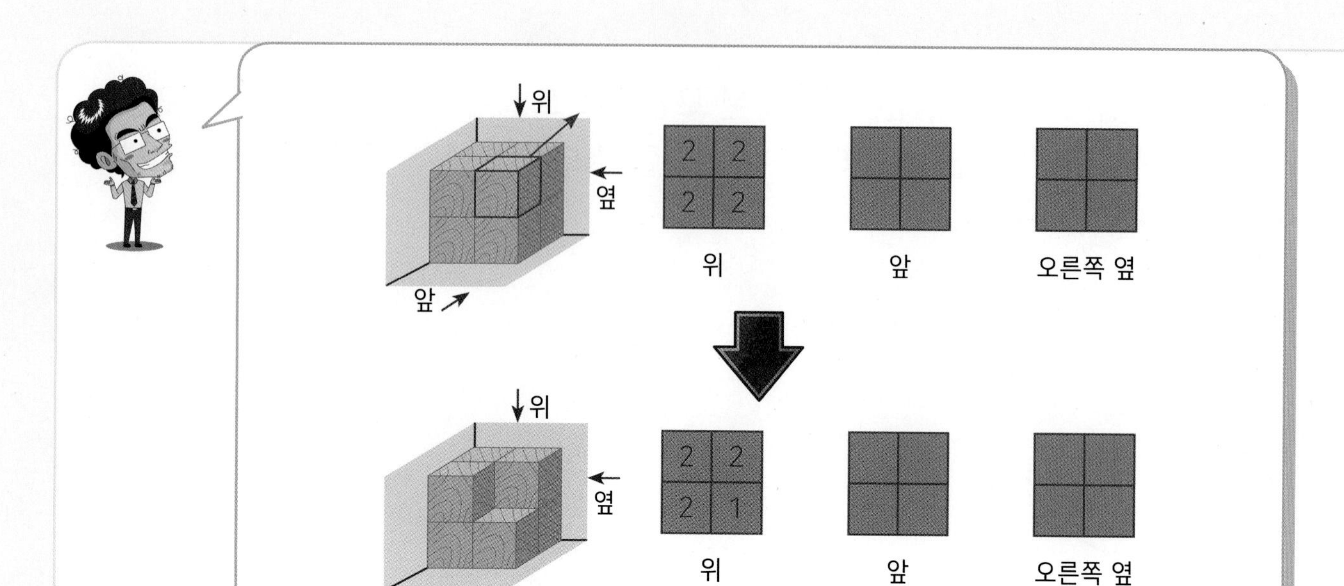

두 모양 모두 위, 앞, 옆에서 본 모양은 같지만 서로 다른 모양이야. 위에서 본 모양을 그리고 각 칸에 쌓인 쌓기나무의 개수를 써넣으면 두 모양을 정확하게 구분할 수 있지!

위에서 본 모양을 그리고 각 칸에 쌓인 쌓기나무의 층수를 써넣고, 전체 쌓기나무의 개수를 구하시오.

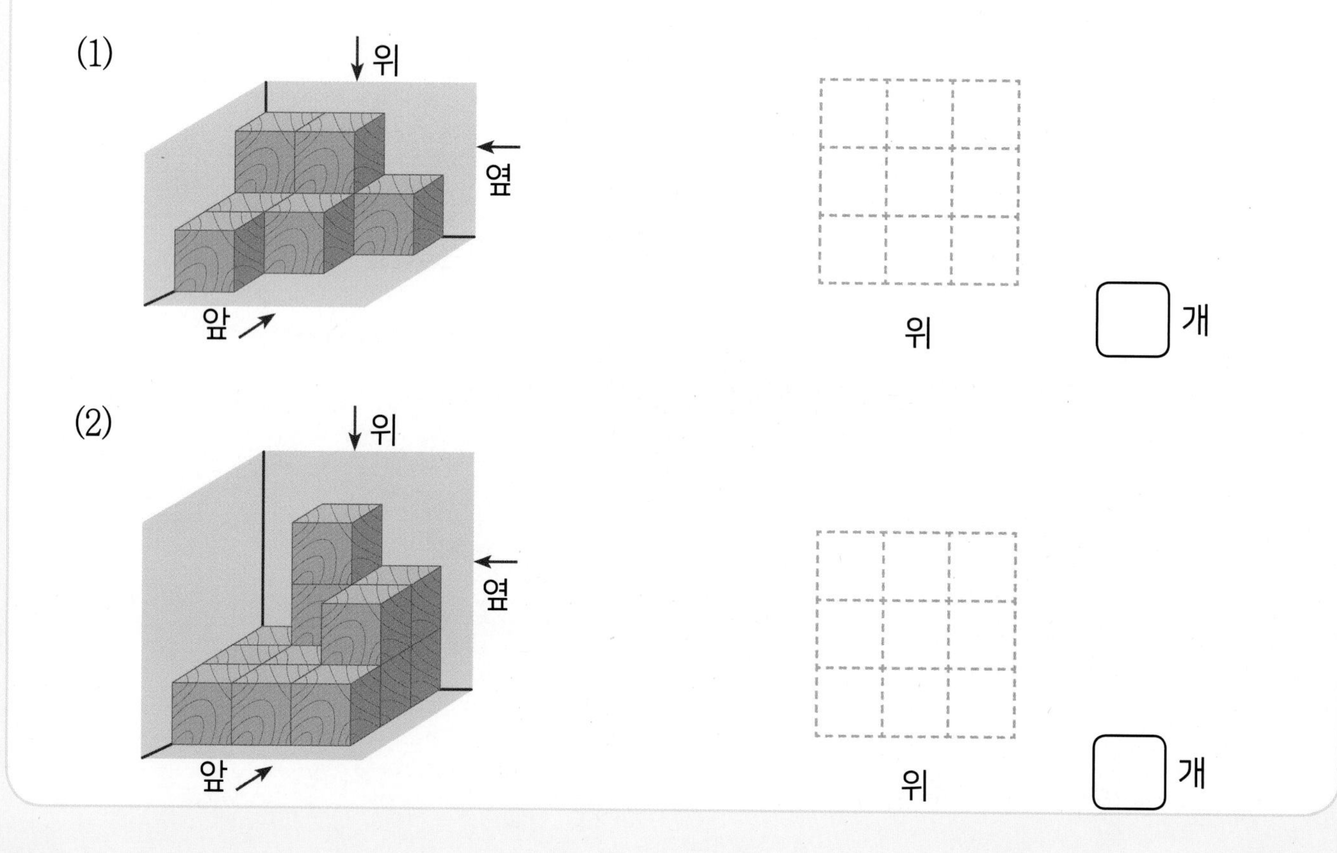

탐구 유형 1-1 **여러 방향에서 본 모양**

쌓기나무로 만든 모양의 위에서 본 모양을 그리고 각 칸에 쌓인 쌓기나무의 층수를 써넣었습니다.

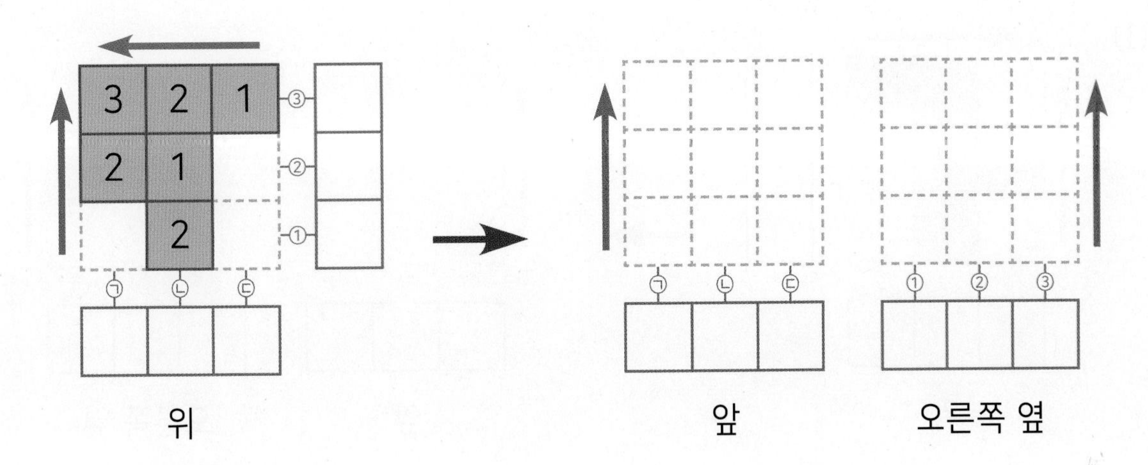

위에서 본 모양의 각 칸에 적힌 개수를 보고 앞과 오른쪽 옆에서 본 모양을 그리시오.

• Point 각 줄에서 가장 높은 쌓기나무가 몇 층인지 생각해 봅니다.

(1) 보라색 칸의 수는 앞에서 보았을 때 각 줄의 가장 높은 층을 의미합니다. 빈칸에 알맞은 수를 써넣으시오.

(2) 주황색 칸의 수는 오른쪽 옆에서 보았을 때 각 줄의 가장 높은 층을 의미합니다. 빈칸에 알맞은 수를 써넣으시오.

(3) 보라색, 주황색 칸의 수를 보고 점선을 따라 앞에서 본 모양, 오른쪽 옆에서 본 모양을 그리시오.

연습 01 쌓기나무로 만든 모양의 위에서 본 모양을 그리고 각 칸에 쌓인 쌓기나무의 층수를 써넣었습니다. 빈칸을 채우고 앞과 오른쪽 옆에서 본 모양을 그리시오.

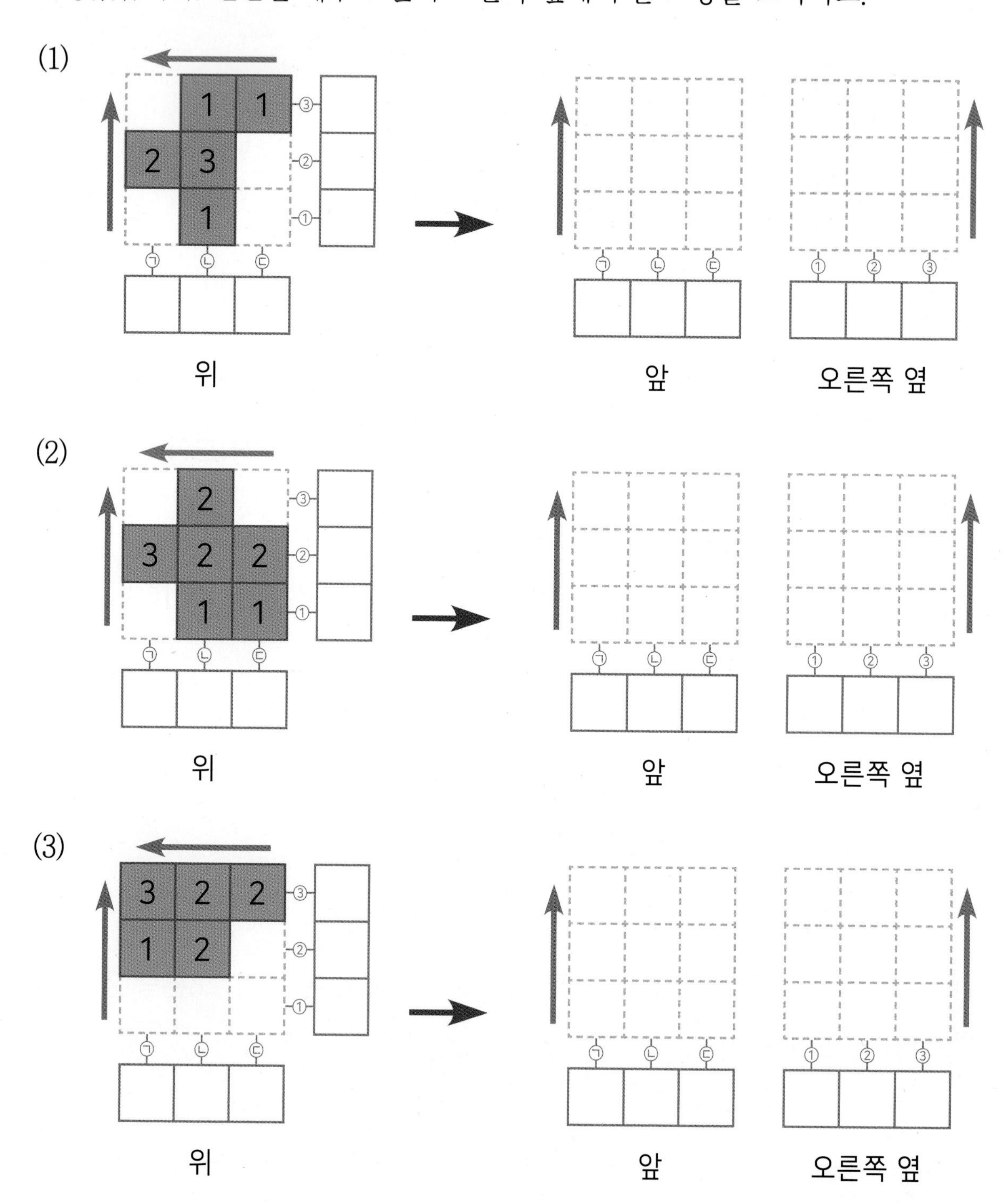

연습 02 쌓기나무 7개로 만든 모양에 쌓기나무 1개를 더 놓고 위, 앞, 오른쪽 옆에서 보았더니 다음과 같았습니다.

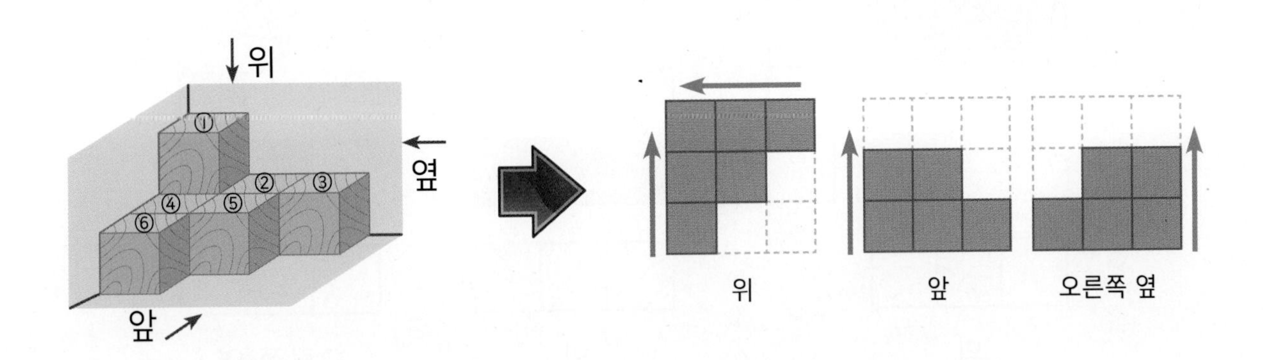

쌓기나무 1개를 더 놓은 곳은 몇 번인지 구하시오.

연습 03 쌓기나무로 만든 모양의 네 방향에서 본 모양을 그림자로 나타냈습니다.

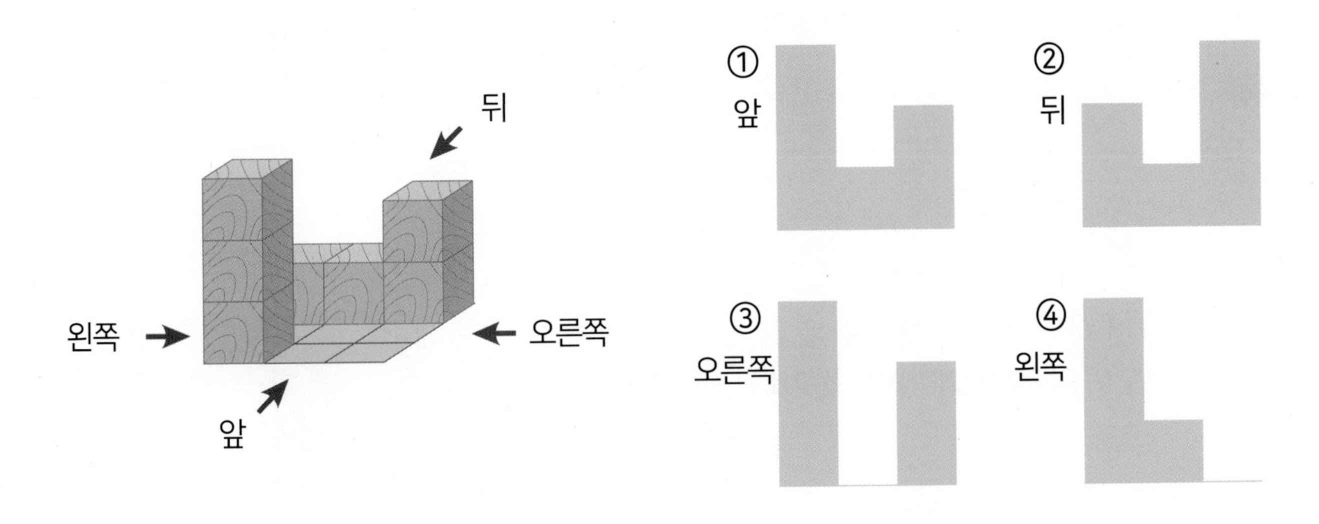

그림자의 모양이 잘못된 것은 몇 번인지 구하시오.

쌓기나무의 모양

탐구 유형 1-2 쌓기나무의 개수

쌓기나무로 만든 모양의 위, 앞, 오른쪽 옆에서 본 모양을 다음과 같이 그렸습니다. 똑같은 모양을 만들기 위해 필요한 쌓기나무의 개수를 구하시오.

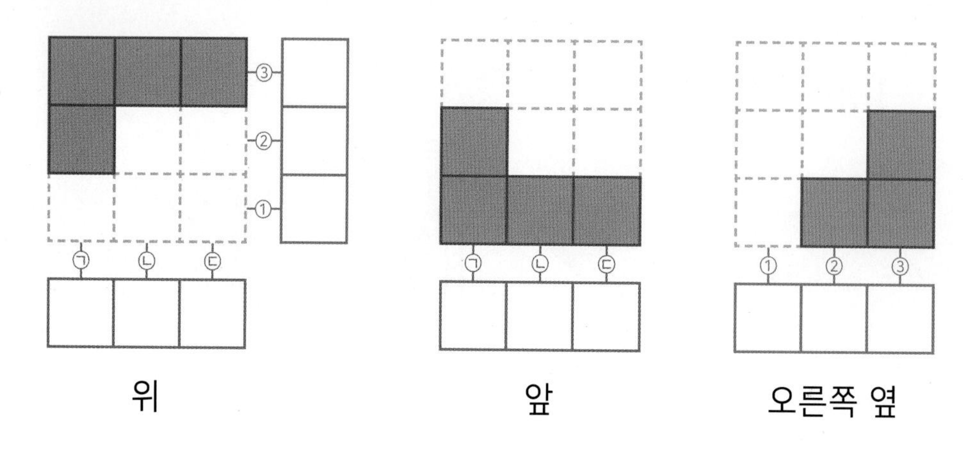

• Point 각 줄에서 가장 높은 쌓기나무가 몇 층인지 생각해 봅니다.

(1) 위에서 본 모양을 기준으로 오른쪽 옆에서 본 모양의 각 줄의 층수를 주황색 칸 안에 써넣으시오.

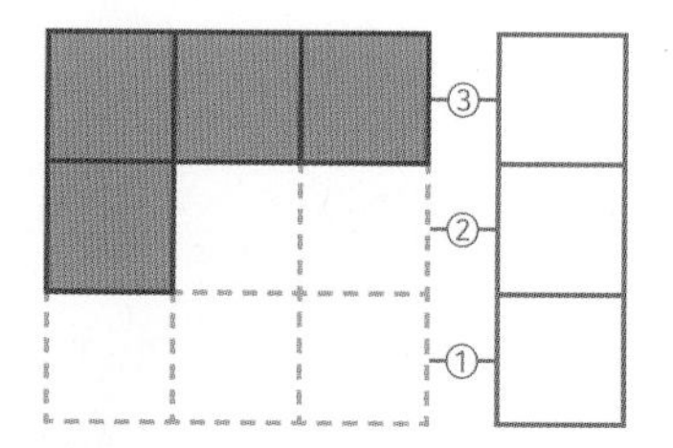

(2) 위에서 본 모양을 기준으로 앞에서 본 모양의 각 줄의 층수를 보라색 칸 안에 써넣으시오.

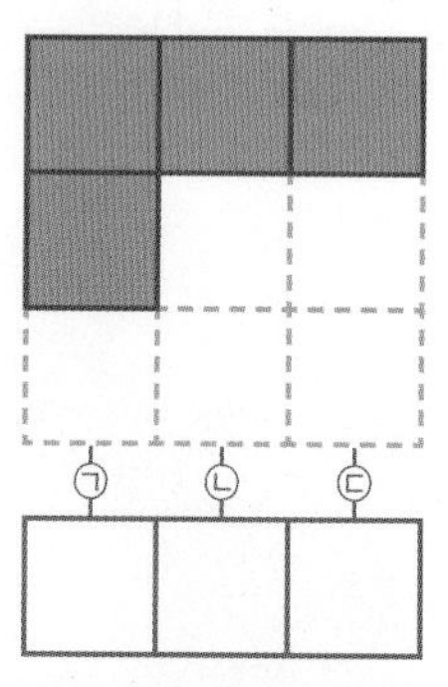

(3) (1), (2)번에서 구한 각 줄의 층수를 이용하여 위에서 본 모양의 각 칸에 쌓인 쌓기나무의 개수를 써넣으시오.

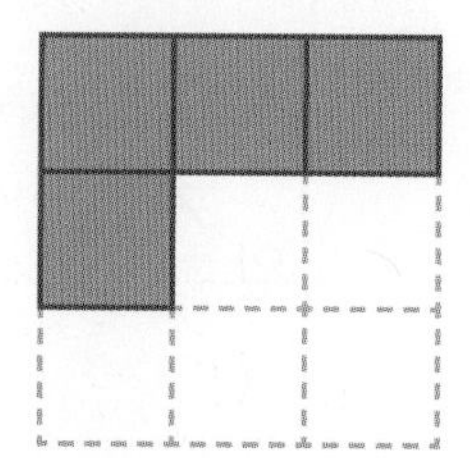

(4) 똑같은 모양을 만들기 위해 필요한 쌓기나무의 개수를 구하시오.

연습 01 쌓기나무로 만든 모양의 위, 앞, 오른쪽 옆에서 본 모양을 다음과 같이 그렸습니다. 똑같은 모양을 만들기 위해 필요한 쌓기나무의 개수를 구하시오.

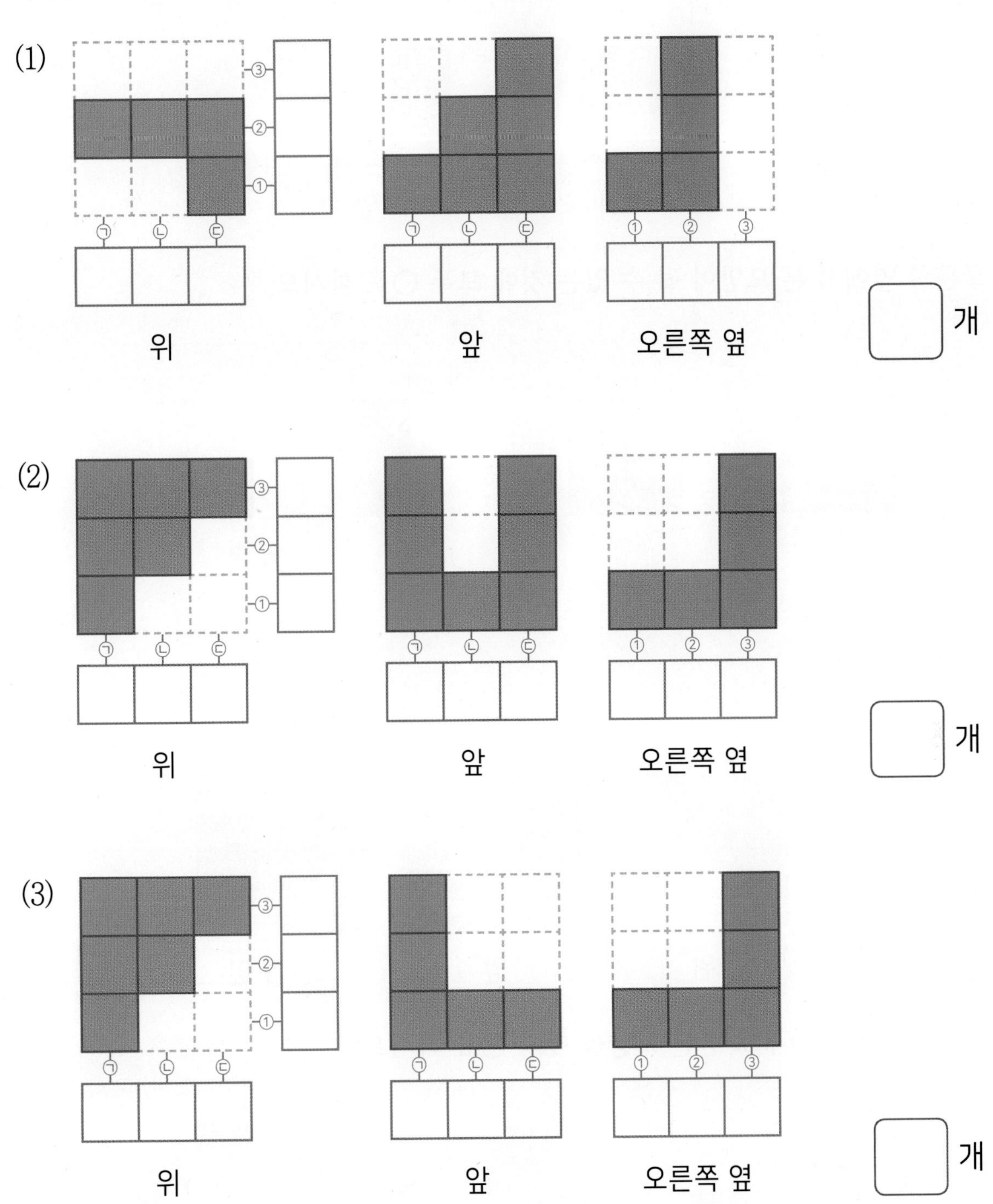

연습

02 쌓기나무 5개로 만든 모양의 위, 앞에서 본 모양이 다음과 같습니다.

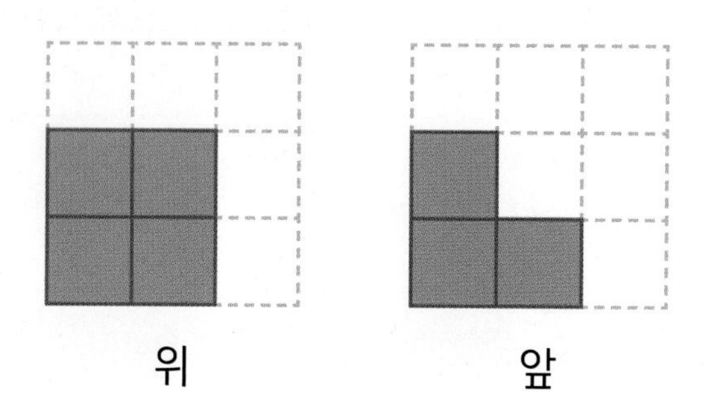

오른쪽 옆에서 본 모양이 될 수 있는 것에 모두 ○표 하시오.

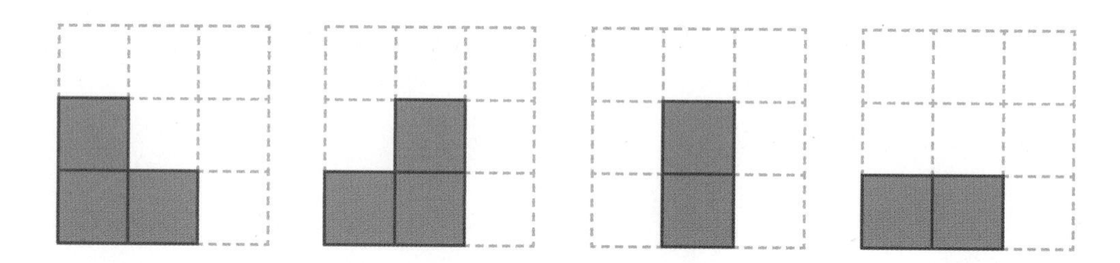

연습

03 쌓기나무로 만든 모양의 위, 앞, 오른쪽 옆에서 본 모양이 다음과 같습니다.

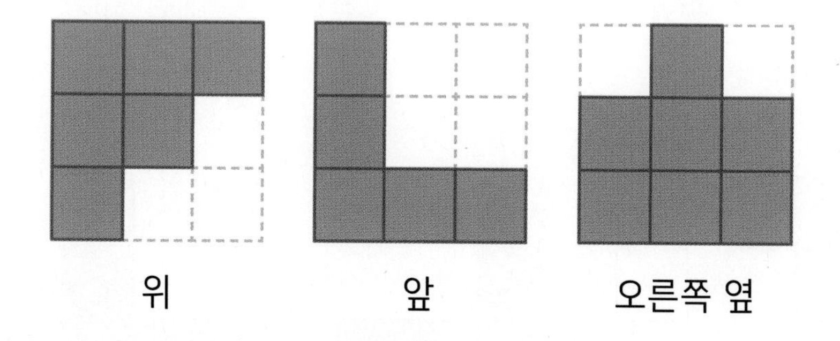

위와 같이 쌓기나무로 만든 모양을 찾아 ○표 하시오.

2 스카이스크래퍼

스카이스크래퍼는 표 밖의 수를 보고 규칙에 따라 표 안의 빈칸을 채우는 퍼즐입니다.

스카이스크래퍼

① 표 안의 각 칸의 수는 그 칸에 있는 건물의 층수를 의미합니다.

② 한 줄에 있는 건물들의 층수는 서로 다릅니다.

③ 표 밖의 수는 각각의 위치에서 화살표 방향으로 바라봤을 때 보이는 건물의 개수입니다.

스카이스크래퍼의 규칙에 맞게 □ 안에 알맞은 수를 써넣으시오.

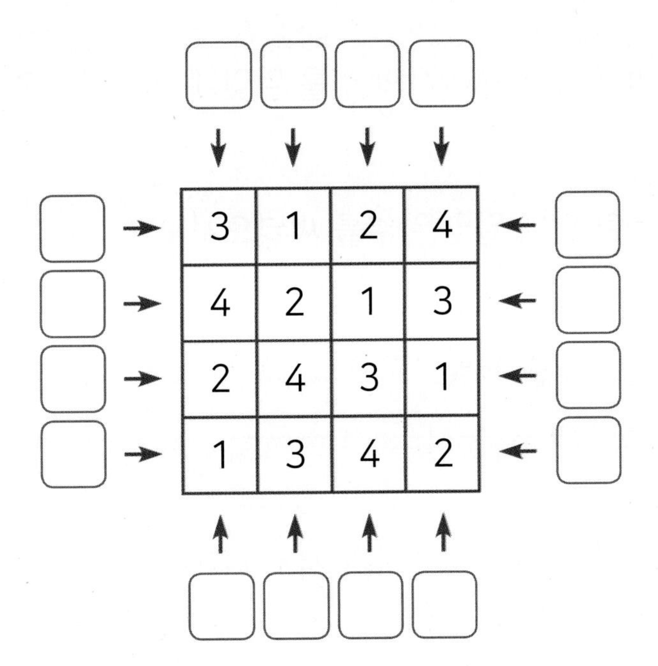

스도쿠의 규칙과 같이 표의 같은 줄에는 같은 수가 두 번 올 수 없어. 어떤 건물이 보이고 어떤 건물이 가려지는지 관찰해봐. 표 밖의 수를 보고 표 안에 수를 써넣을 수도 있고, 그 반대로 할 수도 있어!

스카이스크래퍼

탐구 유형 2-1 건물의 층수

한 줄에 있는 건물들의 층수가 1~4까지 서로 다른 스카이스크래퍼 퍼즐입니다. 표 안에 알맞은 수를 써넣으시오.

(1)

	4	2	1	2	
3					2
2					3
2					1
1					3
	1	2	4	2	

(2)

	1	2	4	2	
1					2
2					3
3					1
3					2
	4	2	1	2	

Point 한 줄에 1부터 4까지의 수를 하나씩 써넣어야 합니다.

(1) 표 밖의 수가 4인 줄에 1~4까지의 수를 알맞게 써넣으시오.

(2) 표 밖의 1과 이웃한 칸에 알맞은 수를 써넣으시오.

(3) 나머지 칸에 알맞은 수를 써넣으시오.

연습 01 한 줄에 있는 건물들의 층수가 1~3까지 서로 다른 스카이스크래퍼 퍼즐입니다. 표 안에 알맞은 수를 써넣으시오.

(1)

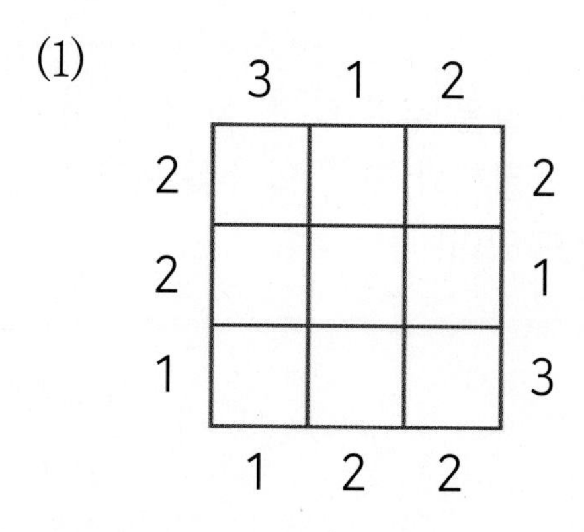

(2)

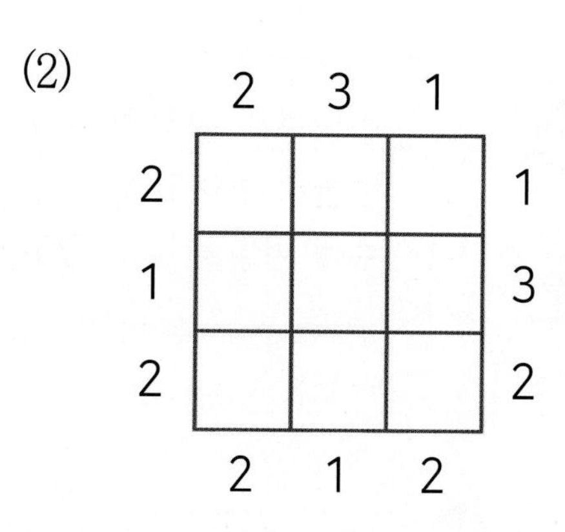

연습 02 한 줄에 있는 건물들의 층수가 1~3까지 서로 다른 스카이스크래퍼 퍼즐입니다. 표 안에 알맞은 수를 써넣으시오.

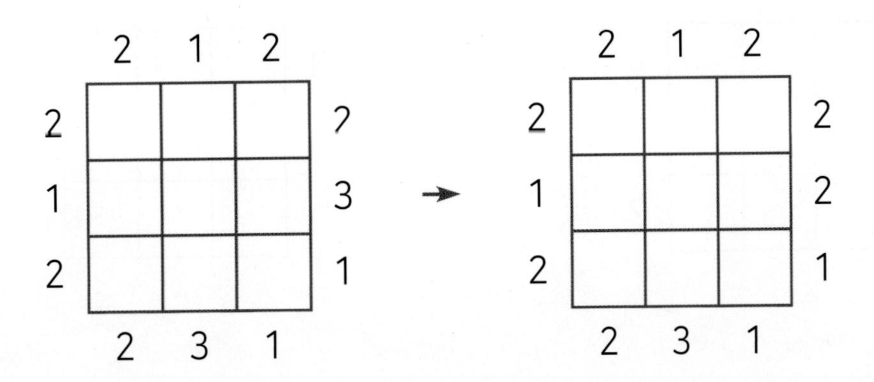

왼쪽 표의 어떤 한 칸에 건물의 층수를 한 층 높이면 표 밖의 수가 오른쪽 표와 같이 변합니다. 왼쪽 표의 어떤 칸에 건물의 층수를 높였는지 찾아 ○표 하시오.

연습 03 스카이스크래퍼 퍼즐의 건물을 앞, 오른쪽 옆, 뒤에서 보면 건물의 색이 다음과 같습니다. 보이는 건물의 색으로 건물의 개수를 알 수 있고, 표 밖의 빈 칸을 채울 수 있습니다. 먼저 표 밖의 빈 칸을 채우고, 표 안에 알맞은 수를 써넣으시오.

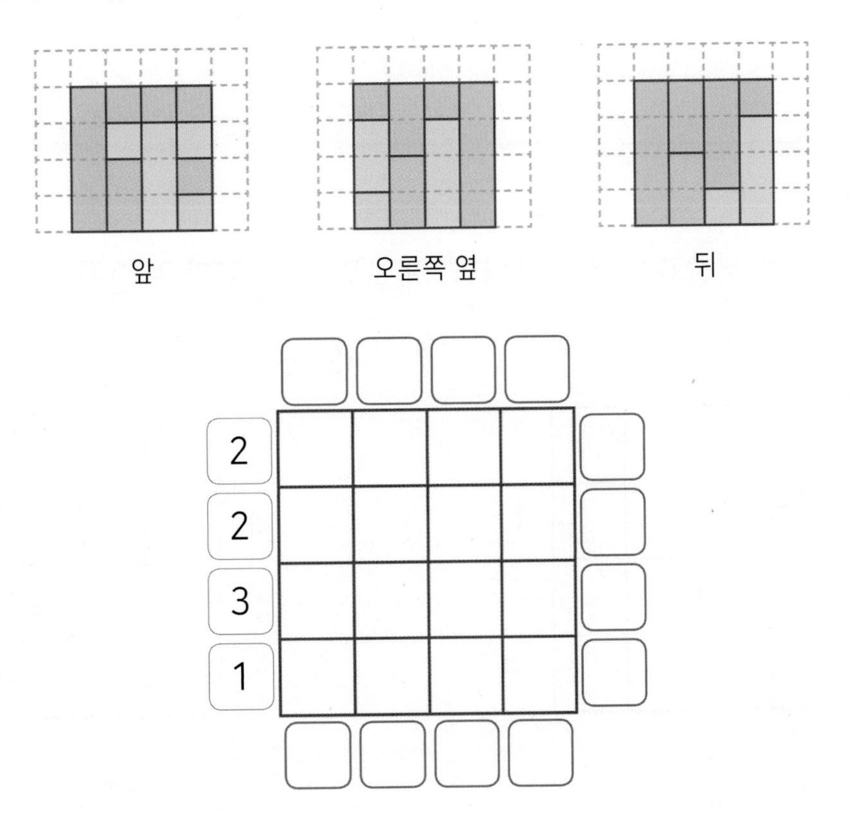

스카이스크래퍼

탐구 유형 2-2 수의 일부만 있는 퍼즐

스카이스크래퍼 퍼즐판의 일부입니다. 색칠된 칸에 알맞은 수를 써넣으시오.

(1)

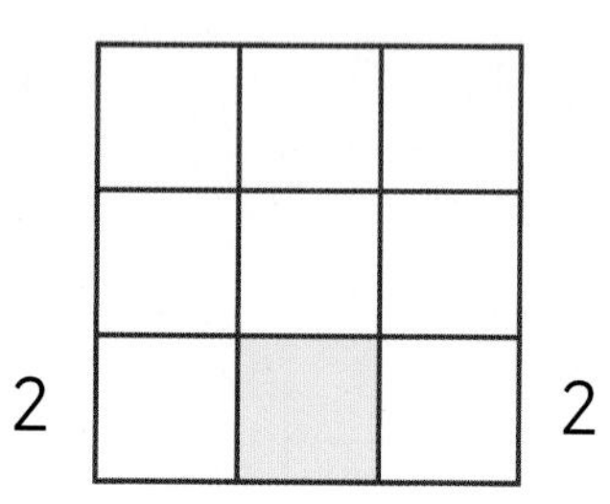

(2)

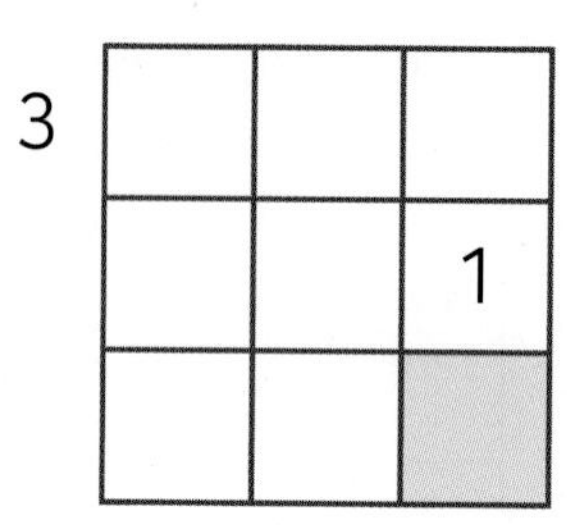

Point 먼저 3이 들어갈 수 없는 칸, 1이 들어가야 하는 칸을 찾아 봅니다.

(1) 왼쪽 퍼즐의 가장 아랫줄에 3이 들어갈 수 없는 칸을 찾아 X표 하시오.

(2) 오른쪽 퍼즐의 가장 윗줄 3칸을 모두 채우시오.

(3) 각 퍼즐의 색칠된 칸에 알맞은 수를 써넣으시오.

연습 01 스카이스크래퍼 퍼즐판의 일부입니다. 색칠된 칸에 알맞은 수를 써넣으시오.

(1)

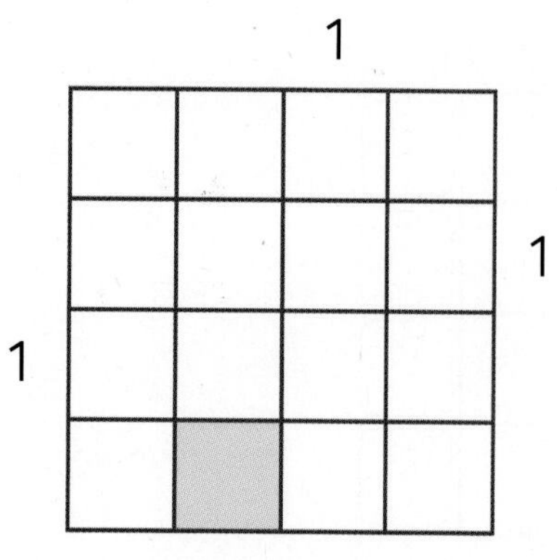

(2)

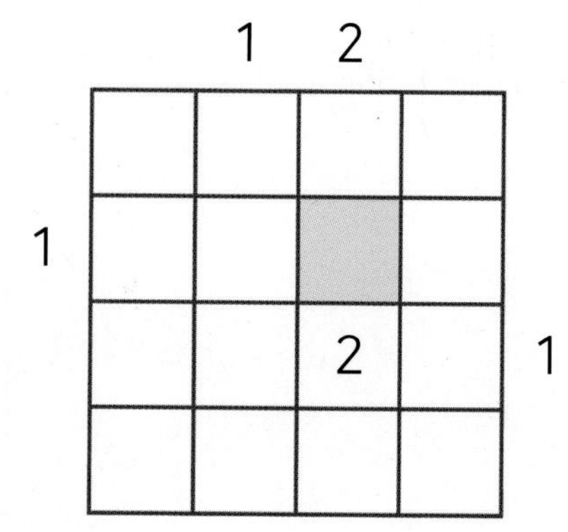

연습 02 스카이스크래퍼 퍼즐판의 일부입니다. □ 안에 알맞은 수를 써넣으시오.

(1)

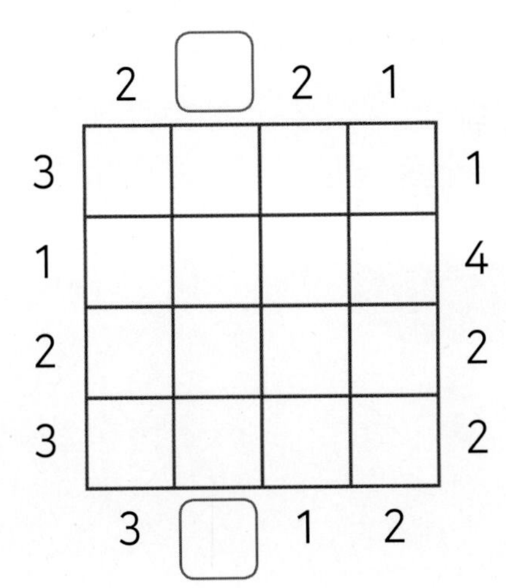

(2)

	1	2	□	2	
1					3
4					1
2					2
2					3
	2	1	□	3	

연습 03 스카이스크래퍼 퍼즐판의 일부입니다. □ 안에 알맞은 수를 써넣으시오.

(1)

				□	
					4
	2				
4					

(2)

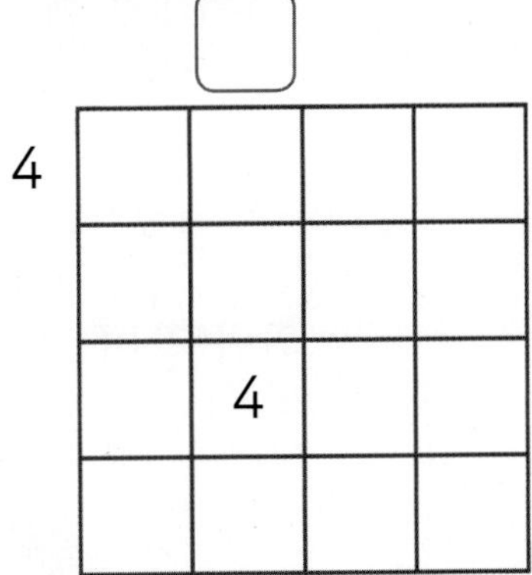

세 방향 중 어느 쪽으로 보더라도 다음과 같이 보이도록 쌓기나무를 쌓습니다.

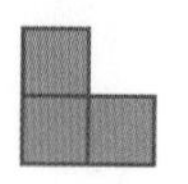

01 쌓기나무로 만든 모양에 쌓기나무 1개를 더 쌓아 위, 앞, 오른쪽 옆에서 본 모양이 모두 같게 만들려고 할 때, (1), (2), (3) 중 어디에 쌓기나무를 쌓으면 되는지 구하시오.

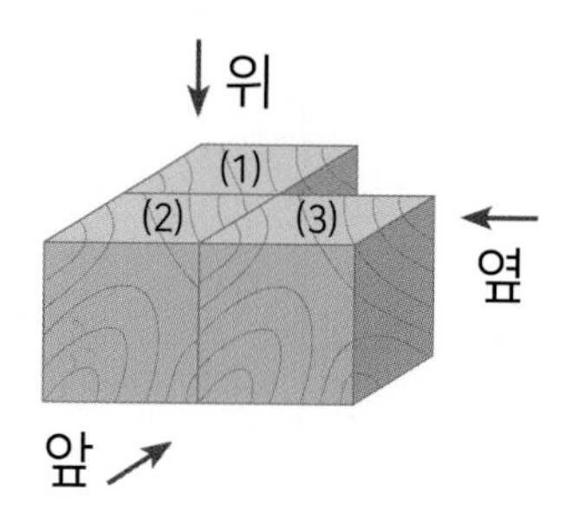

빨간색 쌓기나무는 앞, 왼쪽 옆에서 봤을 때는 가려지지 않지만 뒤, 오른쪽 옆에서 봤을 때는 가려집니다.

02 빨간색 쌓기나무 1개와 보통 쌓기나무 몇 개로 모양을 만든 후 앞, 뒤, 오른쪽, 왼쪽에서 본 모양을 그렸습니다.

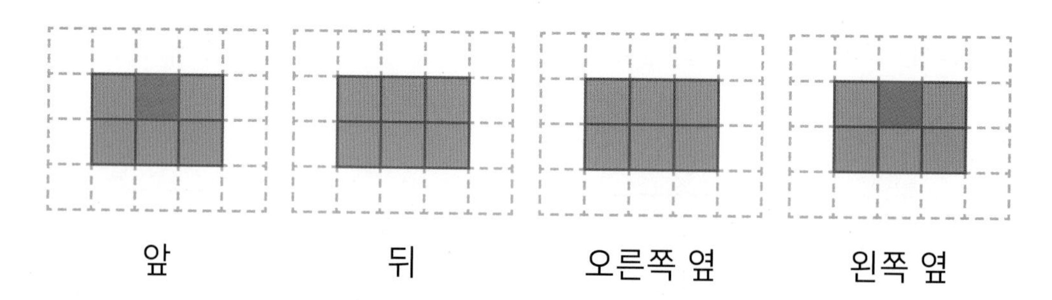

위와 같이 보일 때 쌓기나무로 만든 알맞은 모양에 ○표 하시오.

①
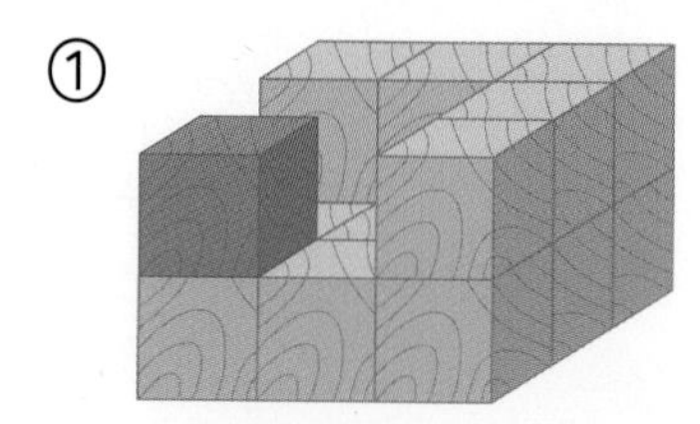

②
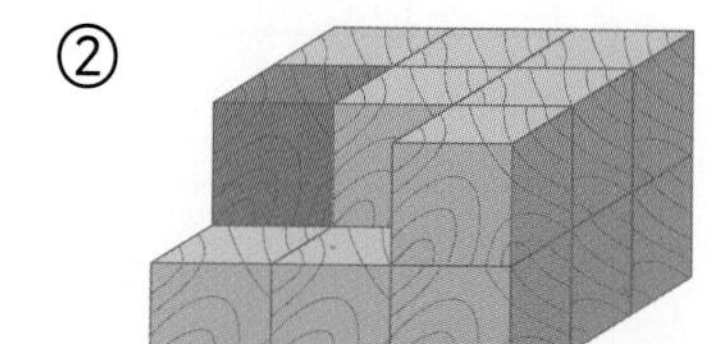

③

④
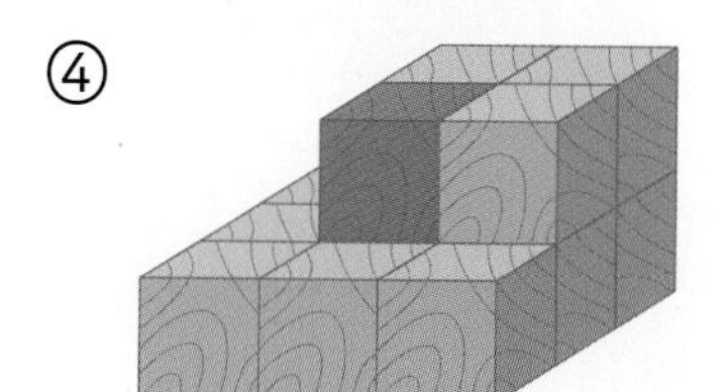

접는 선

03 가로와 세로가 5칸인 스카이스크래퍼 퍼즐판입니다. 퍼즐을 완성하시오.

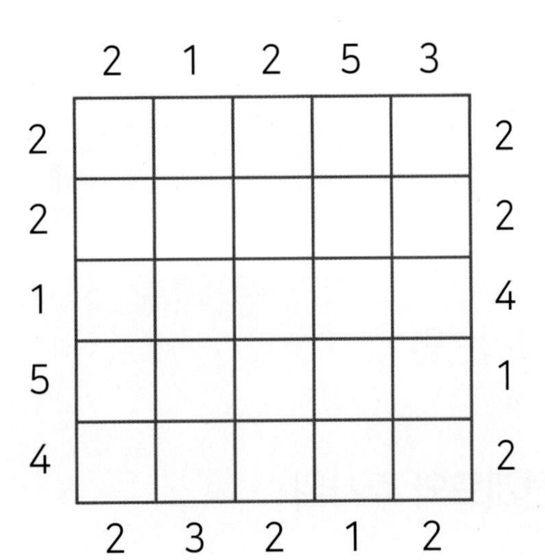

표 밖의 수가 5인 줄을 먼저 채웁니다.

TOP of TOP

04 쌓기나무 27개를 쌓아 만든 모양에서 쌓기나무 몇 개를 덜어내면 위, 앞, 오른쪽 옆에서 본 모양이 모두 같습니다. 쌓기나무를 가능한 많이 덜어내고 보았더니 다음과 같을 때, 최대 몇 개까지 덜어낼 수 있는지 구하시오.

위에서 본 모양의 각 칸에 쌓기나무의 층수를 써넣을 때 각 줄에 3이 적어도 하나씩 있어야 합니다.

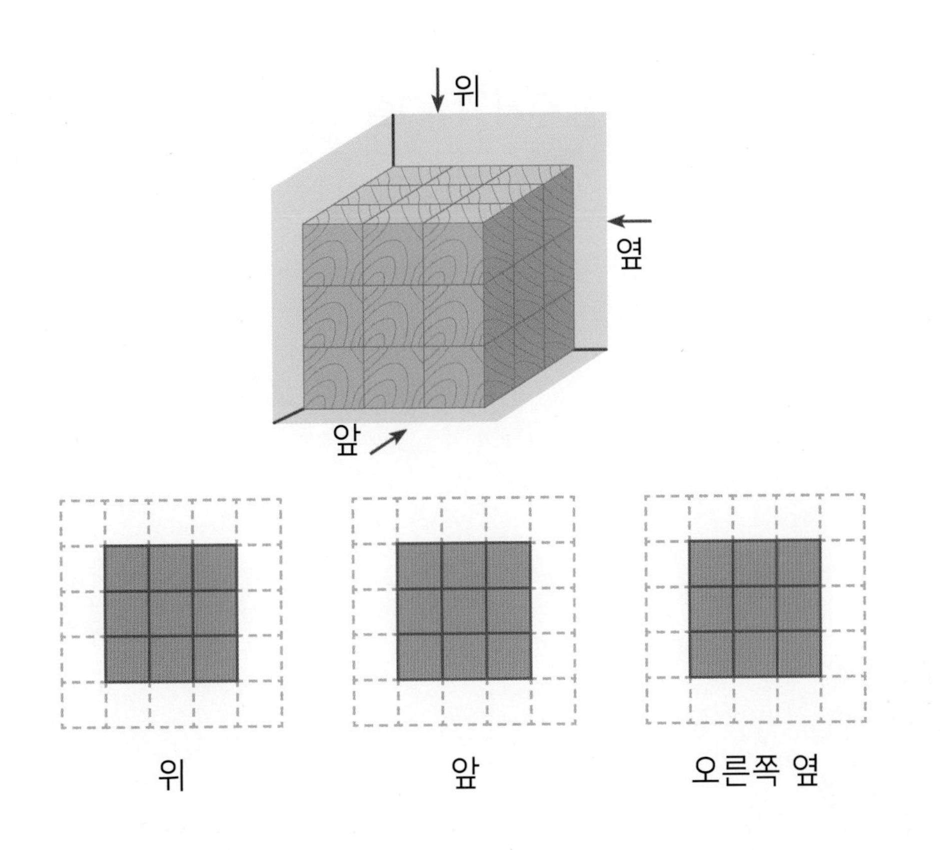

접는 선

TOP 사고력 수학

4. 주사위

마주보는 면

주사위의 각 면에는 1에서 6까지 눈이 그려져 있습니다. 주사위의 면은 6개 있기 때문에 각 면마다 이웃하는 면이 4개씩 있고, 마주보는 면은 3쌍 있습니다.

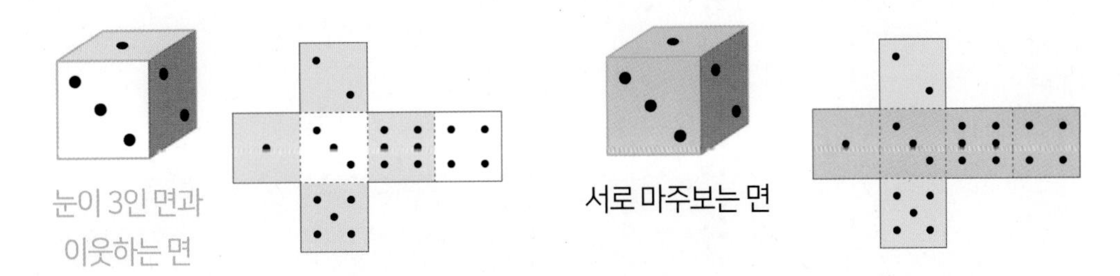

주사위는 마주보는 면의 눈의 합이 항상 7이 됩니다.

입체도형의 모서리를 잘라서 종이 위에 펼쳐 놓은 그림을 전개도라고 합니다. 전개도 중 접어서 주사위가 될 수 없는 것에 모두 ○표 하시오.

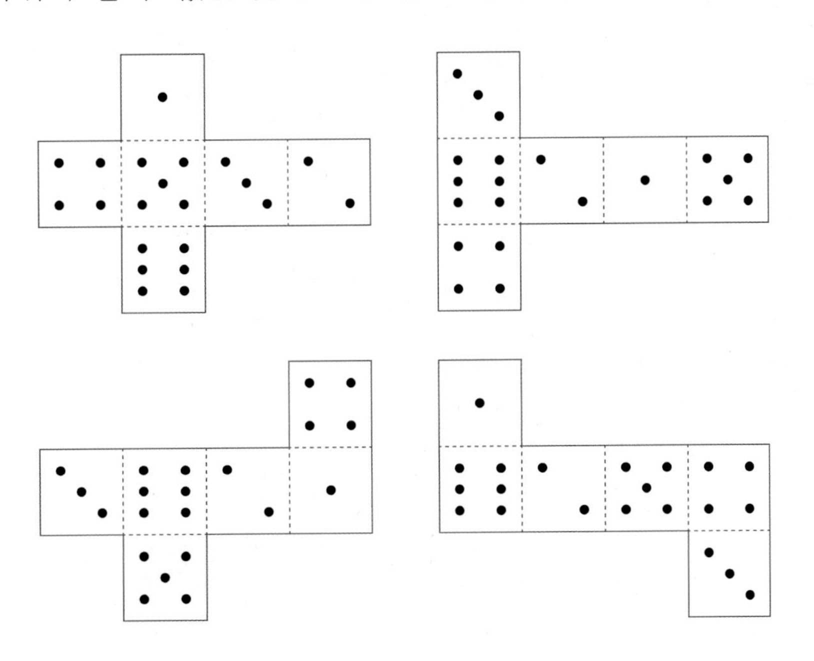

이웃하면서 마주보는 면이 있을 수 있을까?

주사위의 마주보는 면의 눈의 합이 7인 것을 주사위의 7점 원리라고 해.

이웃하는 면은 한 변이 겹치기 때문에 마주보는 면이 될 수 없어. 따라서 이웃하는 면의 점의 개수와 더했을 때 7이 되는 경우가 있어서는 안돼.

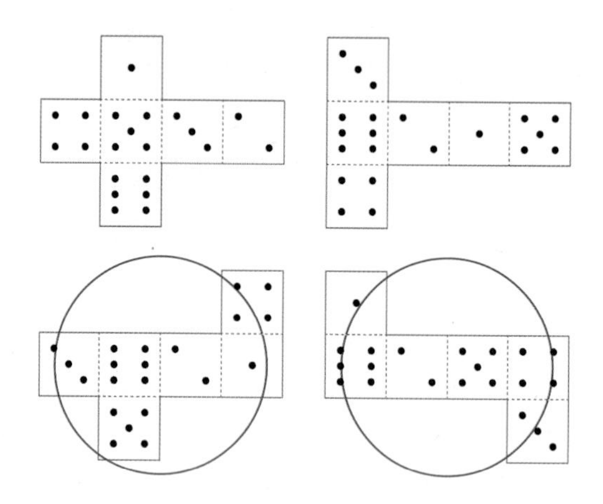

7점 원리로 마주보는 면을 찾고 올바른 주사위의 전개도를 찾을 수 있어!

주사위 바닥면의 눈을 구하시오.

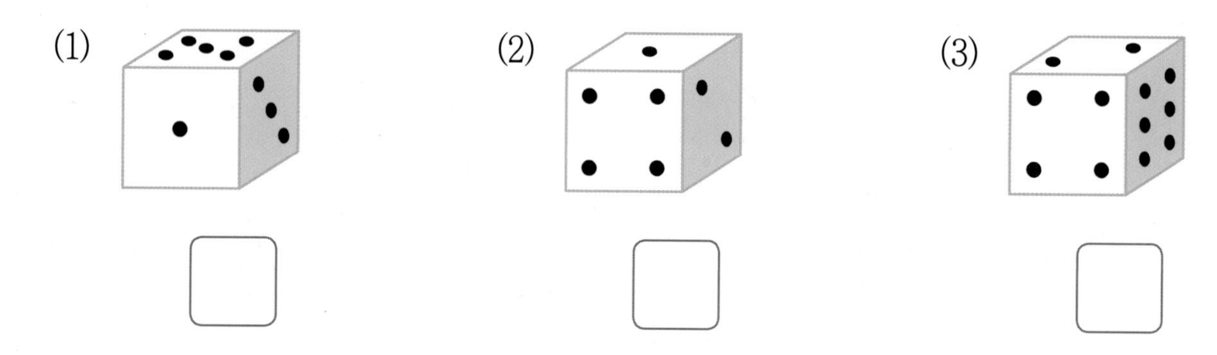

1 전개도와 주사위

다음 전개도에서 눈이 1, 2, 3인 면을 순서대로 지나도록 화살표를 시계 방향으로 그릴 수 있습니다. 다음 전개도는 ①, ②번 주사위 중 어느 주사위의 전개도인지 알아봅시다.

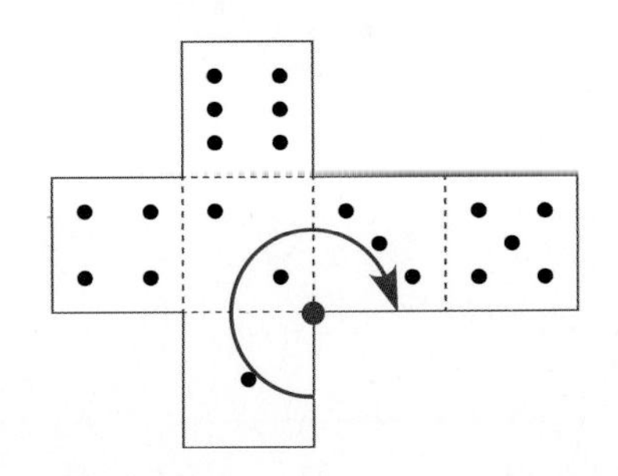

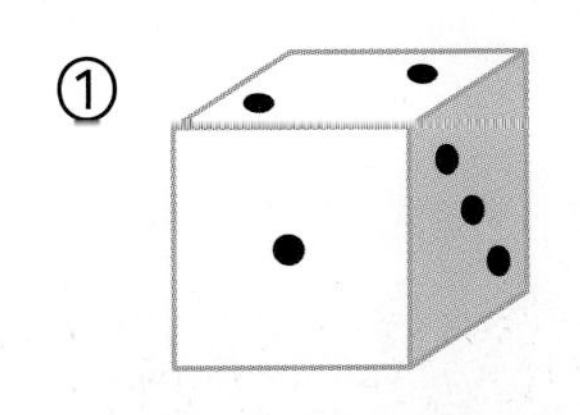

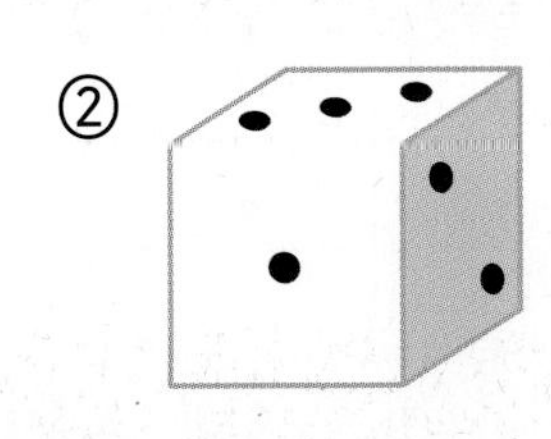

①, ②번 주사위의 눈이 1, 2, 3인 면을 순서대로 지나가게 화살표를 그린다면 세 면이 만나는 꼭짓점을 중심으로 시계 방향인지, 시계 반대 방향인지 써넣으시오.

①번 주사위: [   ] 방향 ②번 주사위: [   ] 방향

전개도를 접으면 ①, ②번 주사위 중 어떤 주사위가 됩니까?

꼭짓점을 중심으로 1, 2, 3인 면이 ①번 주사위는 시계 방향, ②번 주사위는 시계 반대 방향 순서야.

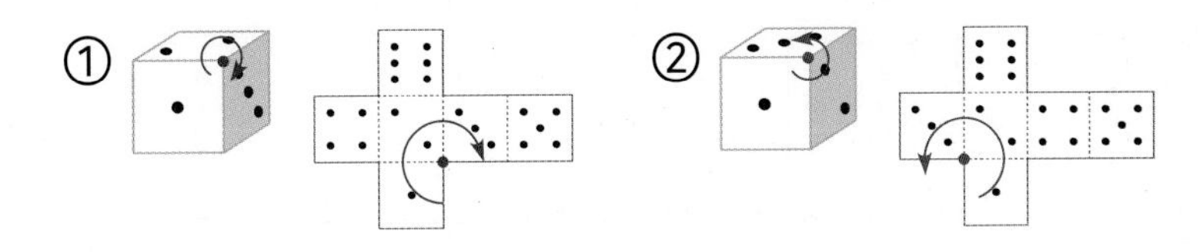

보이는 세 면의 눈이 1, 2, 3이 아니어도 주사위를 돌려서 생각하면 어떤 주사위인지 구분할 수 있지!

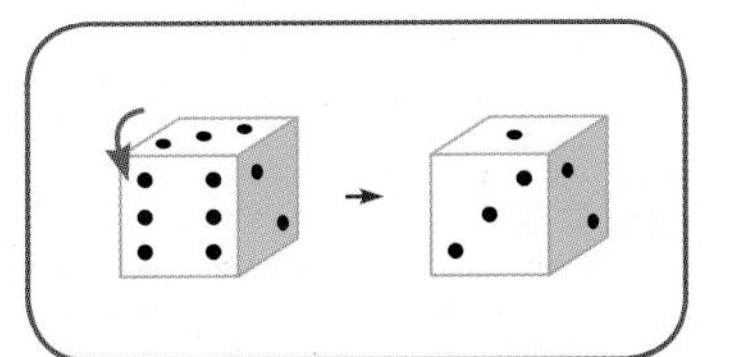

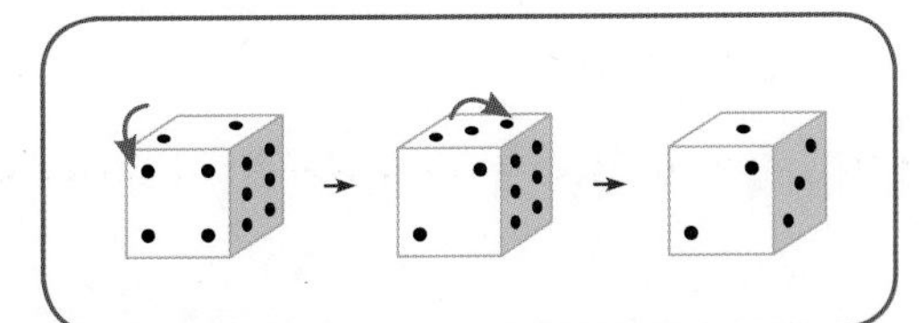

1 전개도와 주사위

다음 전개도를 접으면 어떤 주사위가 되는지 찾아 ○표 하시오.

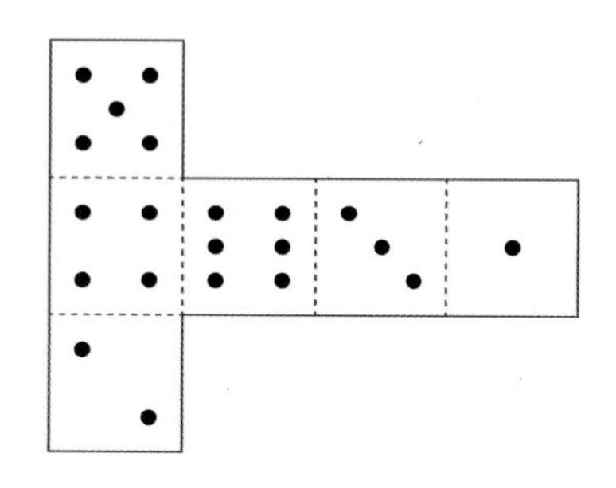

① 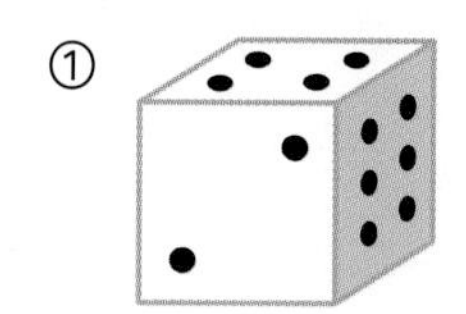

② 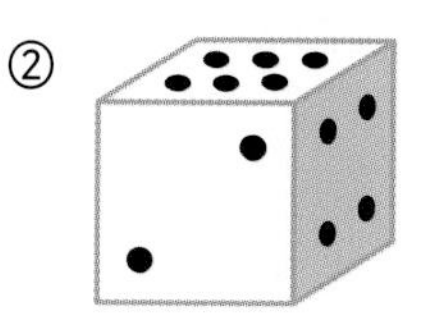

보이는 면의 눈의 수가 1, 2, 3이 아니여도 돌리지 않고 두 주사위를 구별할 수 있어.

① 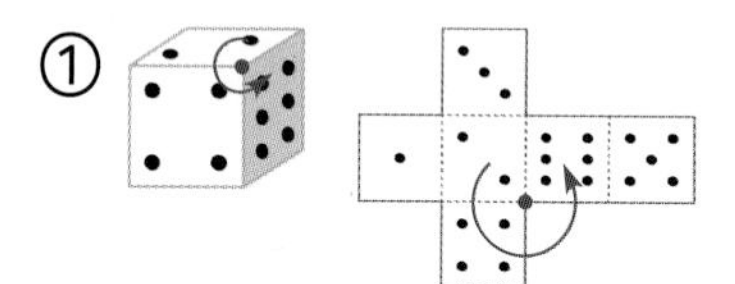

② 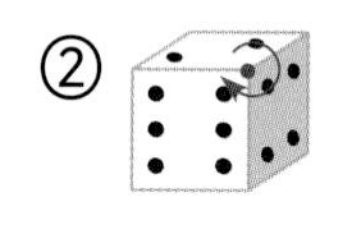

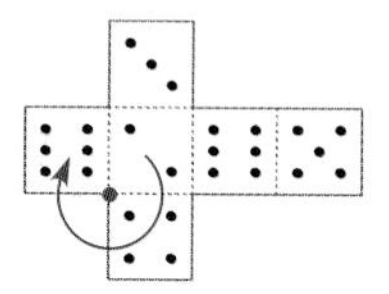

①, ②번 주사위 둘 다 눈의 수가 2, 4, 6인 면 3개가 한 꼭짓점에 모이지만, 꼭짓점을 중심으로 2, 4, 6인 면이, ①번 주사위는 시계 반대 방향, ②번 주사위는 시계 방향 순서야.

다음 주사위의 전개도를 찾아 ○표 하시오.

(1) 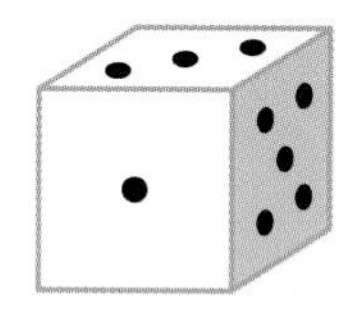

㉠ 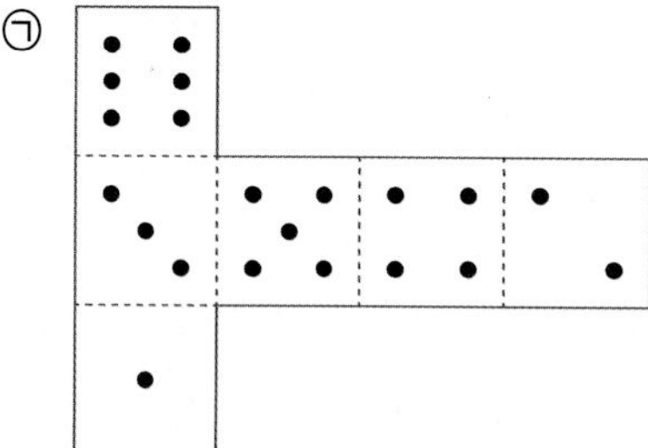

㉡ 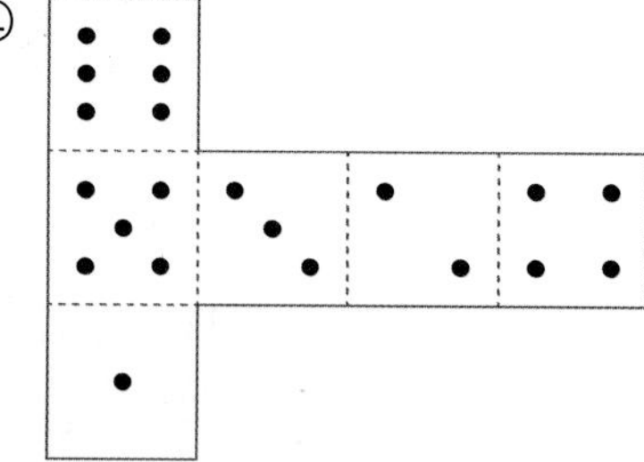

(2) 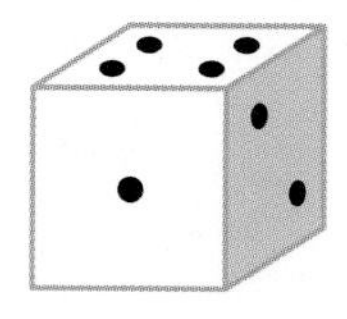

㉠ 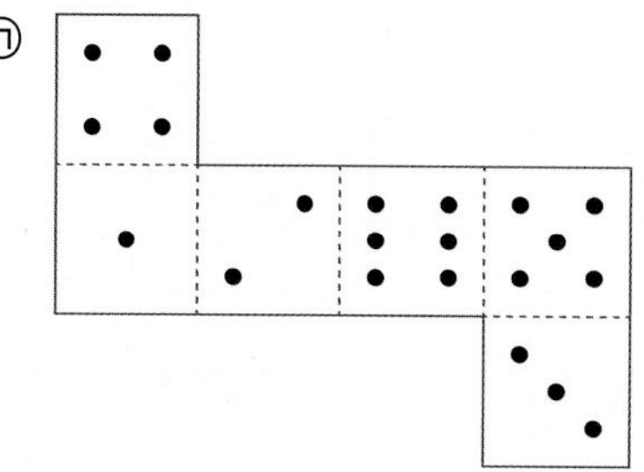

㉡ 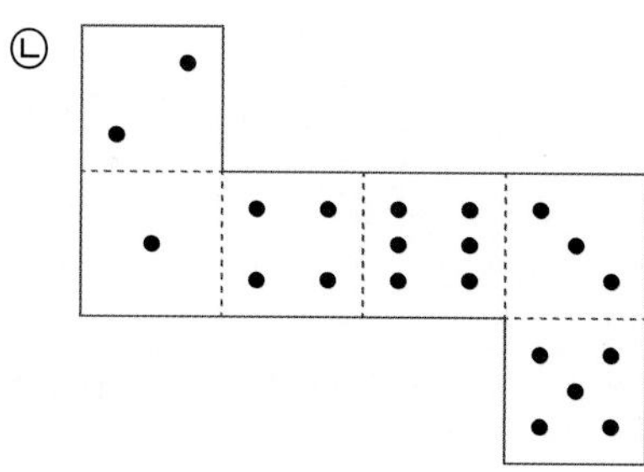

탐구 유형 1-1 주사위가 되는 전개도

아래 그림은 옆면을 초록색으로, 윗면과 바닥면을 주황색으로 칠한 주사위 모양과 그 전개도입니다.

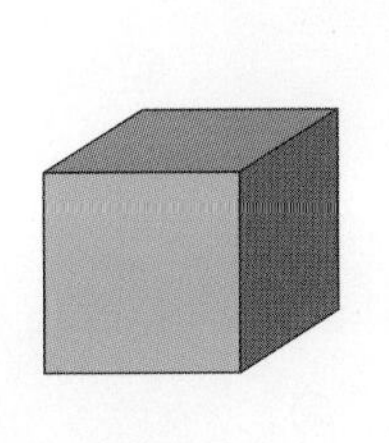

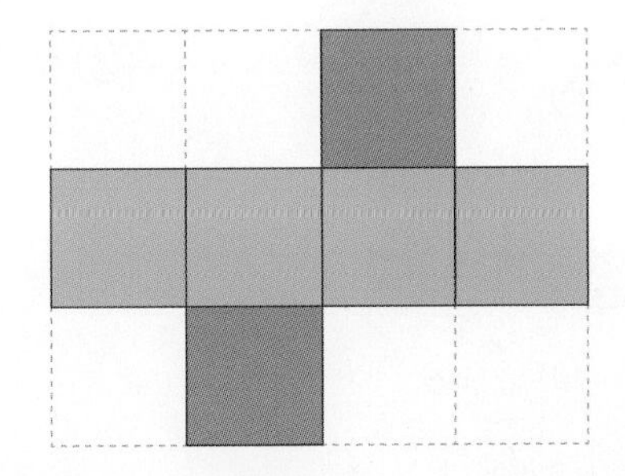

위와 같은 방법으로 전개도의 일부를 그린 그림입니다. 바닥면의 위치가 될 수 있는 칸에 모두 ○표 하시오.

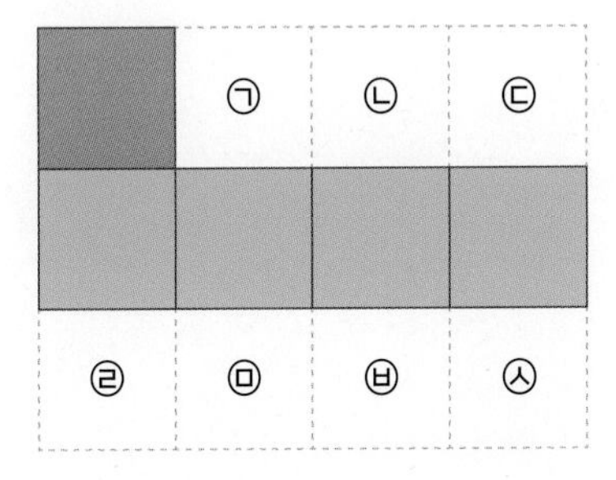

Point 바닥면은 윗면과 마주보는 면이고 옆면과 이웃하는 면입니다.

연습

01 주사위 모양의 전개도에서 옆면을 초록색으로 윗면을 주황색으로 칠했습니다. 바닥면의 위치가 될 수 있는 칸에 모두 ○표 하시오.

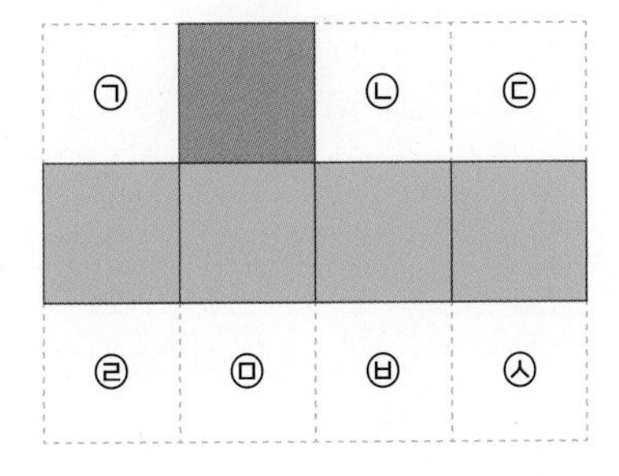

1 전개도와 주사위

연습

02 주사위 모양의 전개도에서 옆면을 초록색으로 바닥면을 주황색으로 칠했습니다. 윗면의 위치가 될 수 있는 칸에 모두 ○표 하시오.

(1)

㉠	㉡	㉢	㉣
㉤			
		㉥	㉦

(2)

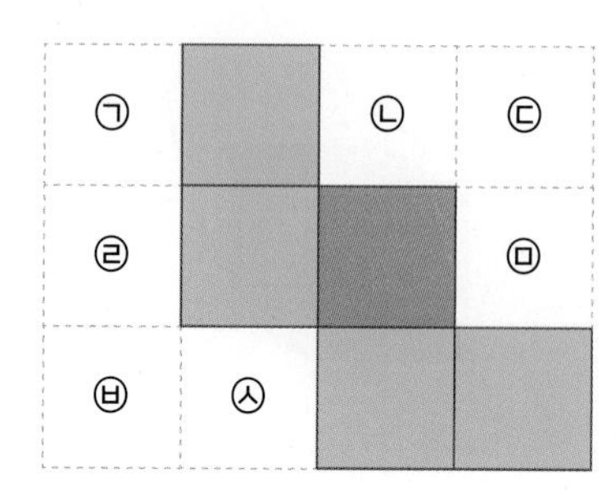

연습

03 주사위 전개도의 일부입니다. 눈이 5인 면이 오는 칸에 ○표 하시오.

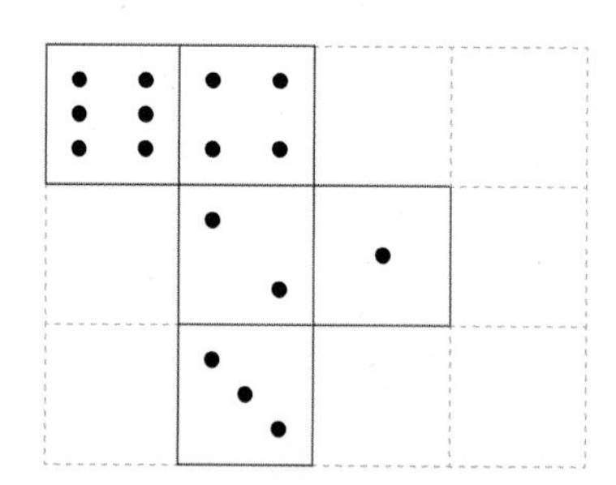

탐구 유형 1-2 전개도 완성하기

주사위를 보고 전개도에 눈을 알맞게 그려 넣으시오.

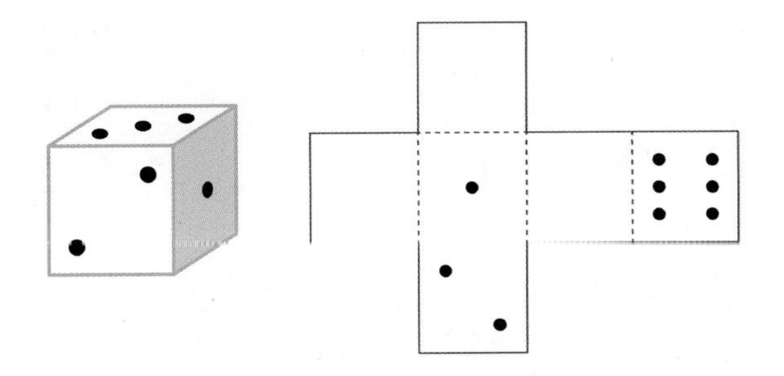

Point 전개도에서 눈이 1, 2인 면이 만나는 두 점 중 하나는 눈이 1, 2, 3인 면이 모두 만나는 점입니다.

(1) 전개도에서 눈이 1, 2인 면이 만나는 점 2개를 찾아 ○표 하시오.

(2) 주사위에서 눈이 1, 2, 3인 면은 시계 방향 순서입니까, 시계 반대 방향 순서입니까?

(3) 전개도에 눈이 1, 2, 3인 면이 모두 만나는 점에 □표 하시오.

(4) 전개도를 완성하시오.

연습

01 주사위를 보고 전개도에 눈을 알맞게 그려 넣으시오.

(1) (2)

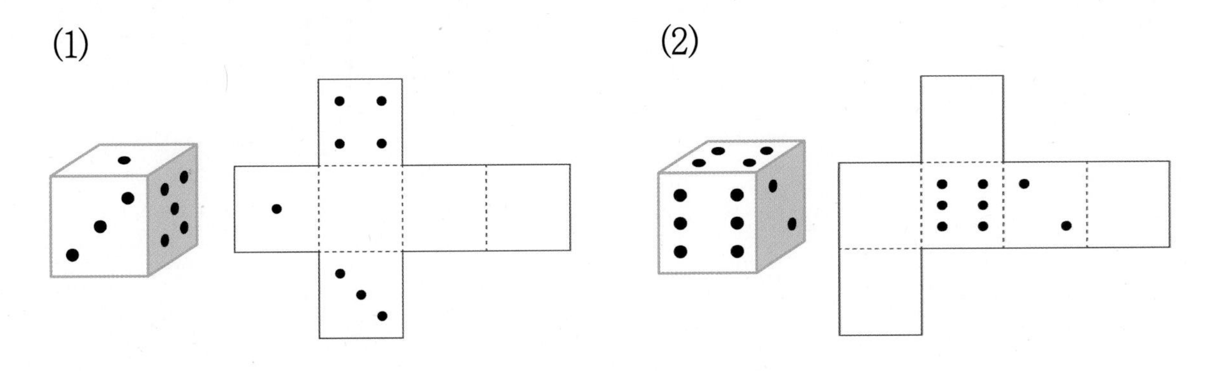

전개도와 주사위

연습 02 왼쪽 주사위를 펼쳐 오른쪽의 전개도를 만듭니다.

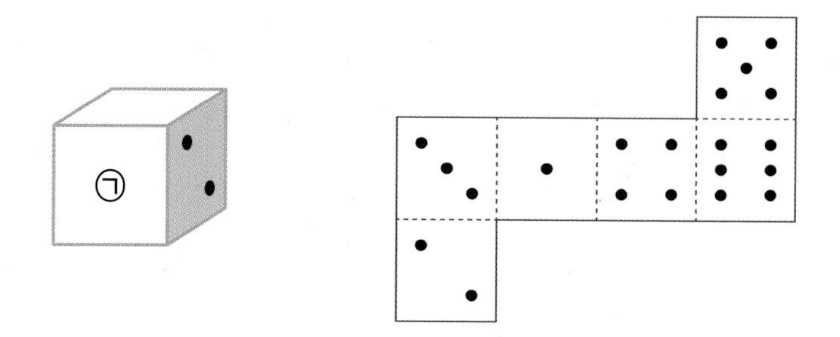

㉠면에 올 수 없는 눈을 구하시오.

연습 03 전개도를 접었을 때 주사위와 같은 모양이 되지 않는 것을 찾아 기호를 쓰시오.

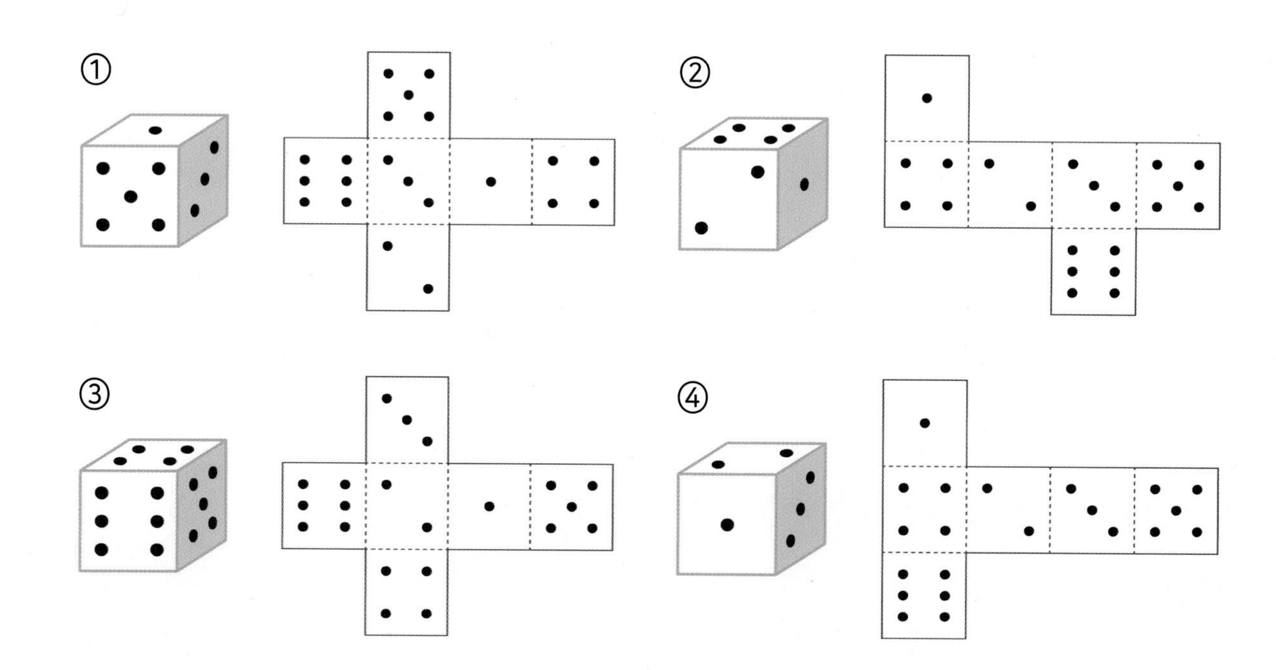

탐구 유형 1-3 주사위 돌리기

주사위를 돌려서 다른 면이 보이게 놓았습니다. ㉠면의 눈을 구하시오.

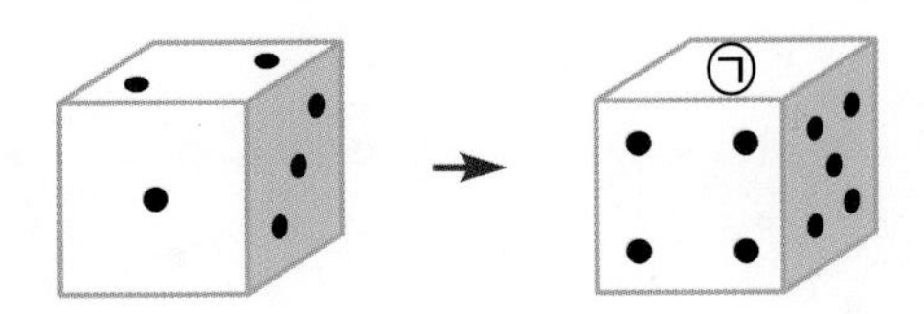

Point 앞면의 눈의 수가 4, 오른쪽 옆면의 눈의 수가 5가 되도록 주사위를 연속해서 굴린 모양을 생각합니다.

(1) 주사위를 왼쪽 옆으로 한 번 굴렸습니다. 윗면과 오른쪽 옆면의 눈을 구하시오.

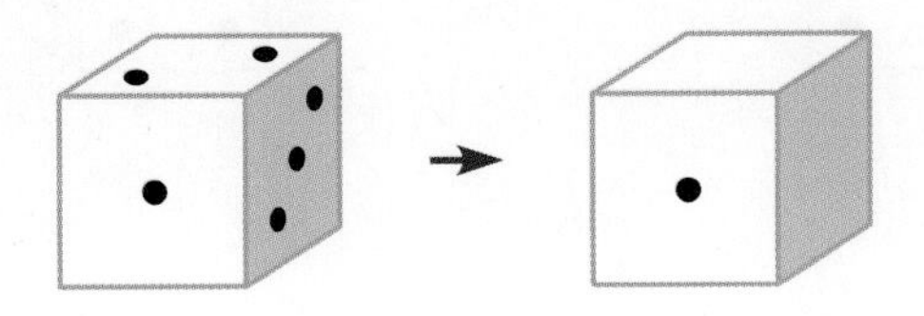

(2) (1)번에서 굴린 주사위를 뒤로 한 번 굴렸습니다. 윗면과 오른쪽 옆면의 눈을 구하시오.

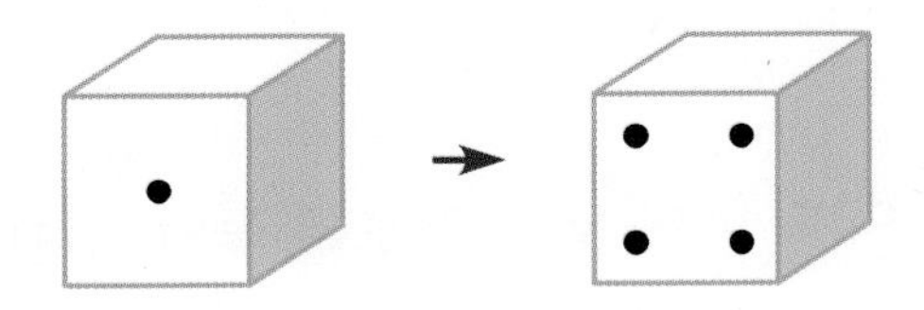

(3) ㉠면의 눈을 구하시오.

연습

01 주사위를 돌려서 다른 면이 보이게 놓았습니다. ㉠면에 오는 눈을 구하시오.

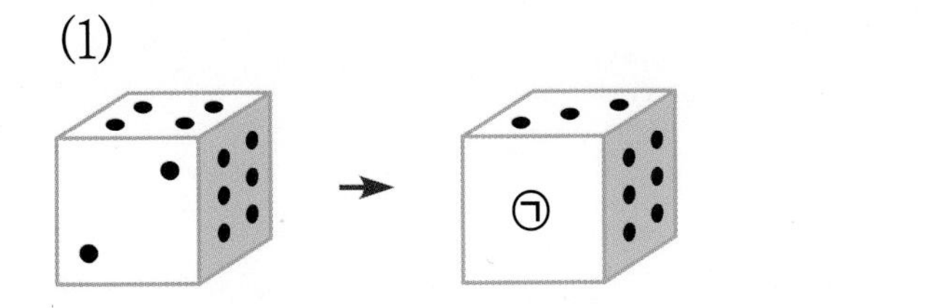

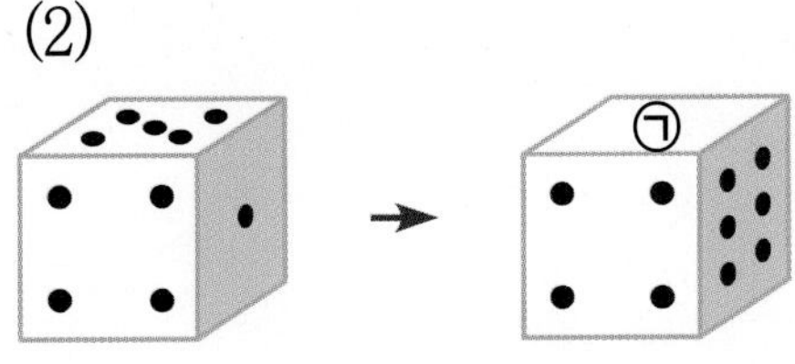

연습 02 주사위를 2개씩 짝지었습니다. 서로 다른 주사위를 짝지은 것에 ○표 하시오.

① 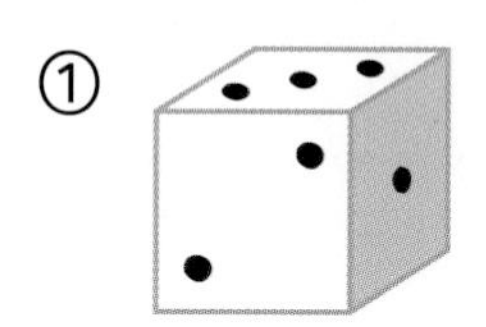 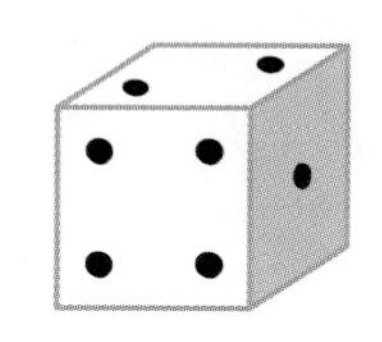

② 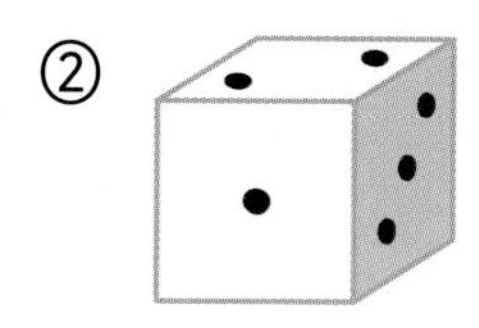 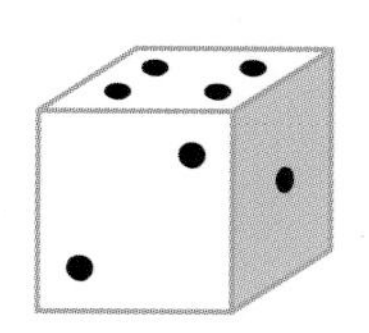

③ 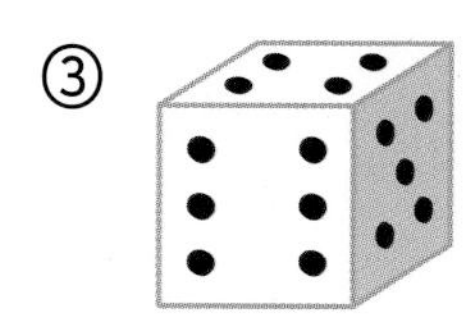 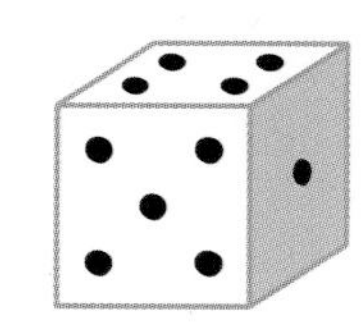

④ 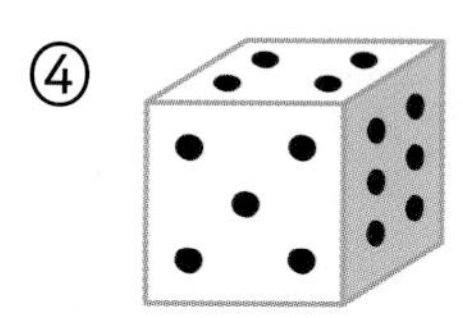 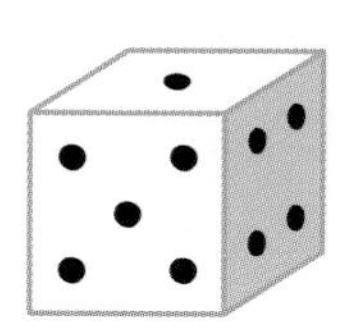

연습 03 같은 주사위 2개를 맞닿은 두 면의 눈이 같도록 놓았습니다. ㉠면의 눈을 구하시오.

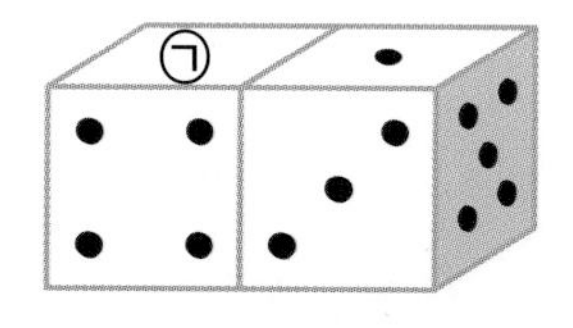

2 눈의 수, 면의 모양

2층 주사위 윗면의 눈이 1이 되도록 주사위 2개를 붙여 놓았습니다. 바닥면을 포함한 겉면의 눈의 합이 33일 때, 1층 주사위 바닥면의 눈이 몇인지 생각해봅시다.

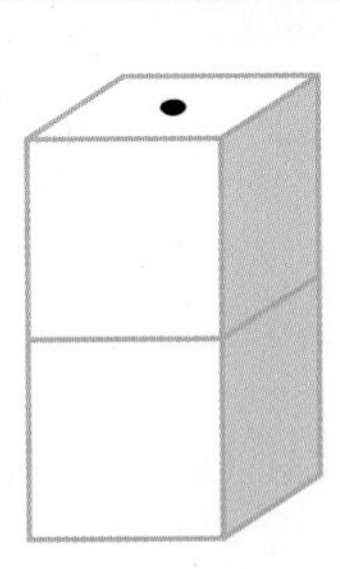

주사위의 옆면을 마주 보는 면끼리 묶으면 모두 4쌍이 됩니다. 옆면의 눈의 합을 구하시오.

바닥면을 제외한 겉면의 눈의 합을 구하시오.

1층 주사위 바닥면의 눈을 구하시오.

옆면의 눈은 알 수 없지만 8개의 옆 면을 마주보는 면끼리 묶을 수 있겠지? 7점원리를 이용하면 옆면의 눈의 합을 구할 수 있어!

주사위 2개를 옆으로 나란히 붙였습니다. 바닥면을 포함한 겉면의 눈의 합이 36일 때 왼쪽 주사위의 왼쪽 면의 눈을 구하시오.

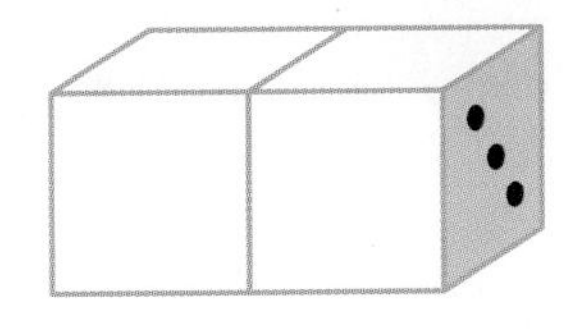

2 눈의 수, 면의 모양

탐구 유형 2-1 눈의 수 구하기

같은 주사위 3개를 쌓았습니다. 바닥면을 제외한 겉면의 눈의 합을 구하시오.

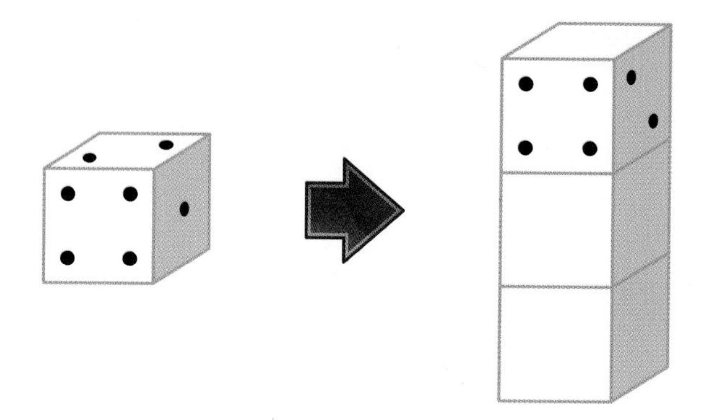

Point 겉면 중 서로 마주보는 면은 6쌍 있습니다.

(1) 3층 주사위의 윗면의 눈을 구하시오.

(2) 옆면의 눈을 모두 더하면 몇입니까?

(3) 바닥면을 제외한 겉면의 눈의 합을 구하시오.

연습

01 같은 주사위 3개를 놓았습니다. 겉면의 눈의 합을 구하시오.

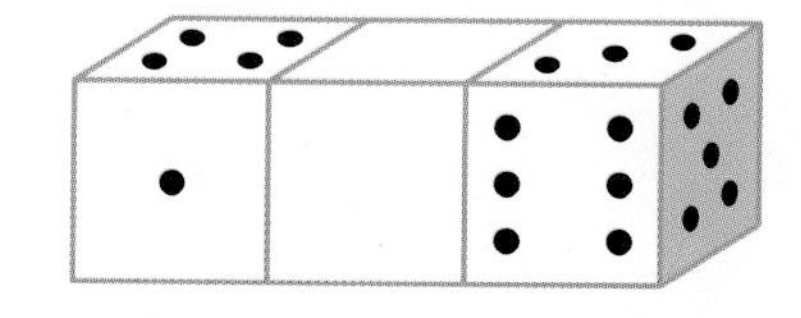

연습 02 겉으로 보이는 눈의 합이 가장 클 때, 바닥면을 포함한 겉면의 주사위 눈의 합을 구하시오.

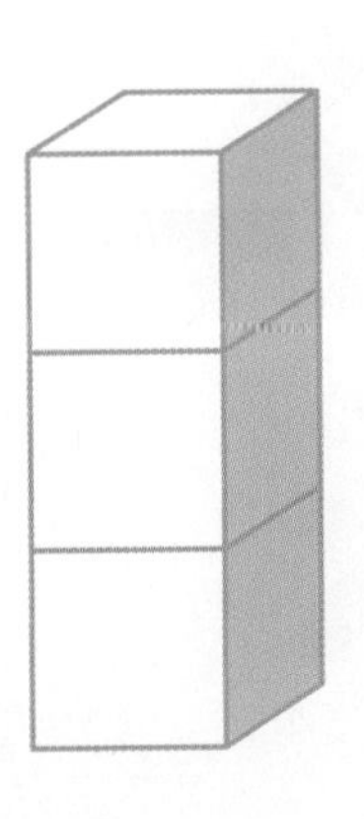

연습 03 같은 주사위 2개를 쌓았습니다.

바닥면을 제외한 겉면의 눈의 합이 31일 때 ㉠면의 눈의 수를 구하시오.

눈의 수, 면의 모양

탐구 유형 2-2 그림 주사위

그림 주사위의 전개도를 보고 ㉠면에 오는 모양을 찾아 ○표 하시오.

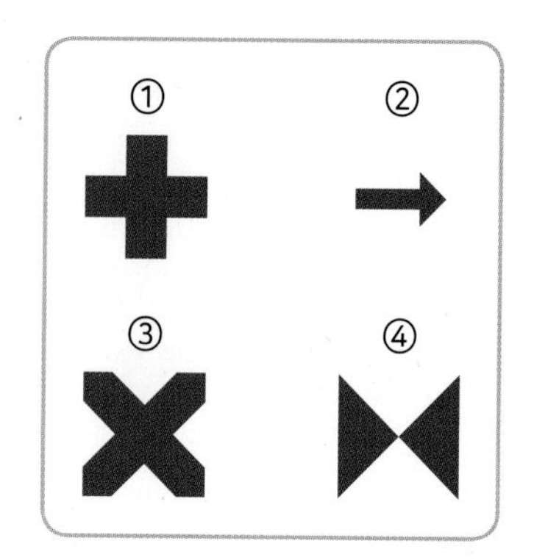

Point 전개도에서 주사위의 윗면과 ㉠면이 만나는 꼭짓점, 오른쪽 옆면과 ㉠면이 만나는 꼭짓점을 찾습니다.

(1) 윗면의 무늬의 모양을 보고 전개도에서 그림 주사위의 윗면과 ㉠면이 만나는 꼭짓점을 찾아 모두 ○표 하시오.

(2) 전개도에서 그림 주사위의 오른쪽 옆면과 ㉠면이 만나는 꼭짓점을 찾아 모두 □표 하시오.

(3) ㉠면에 오는 모양을 찾아 ○표 하시오.

연습 01 그림 주사위의 3면에 모양을 그렸습니다.

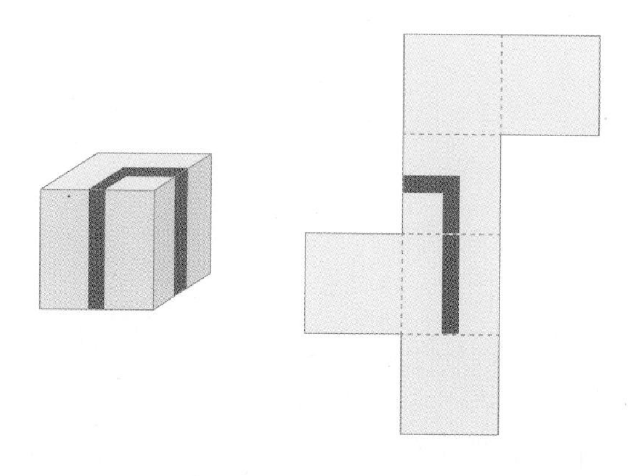

전개도의 빈칸 중 끈 모양이 그려진 곳을 찾아 끈 모양을 알맞게 그리시오.

연습 02 주사위 모양 입체도형의 3면에 3가지 모양을 하나씩 그렸습니다.

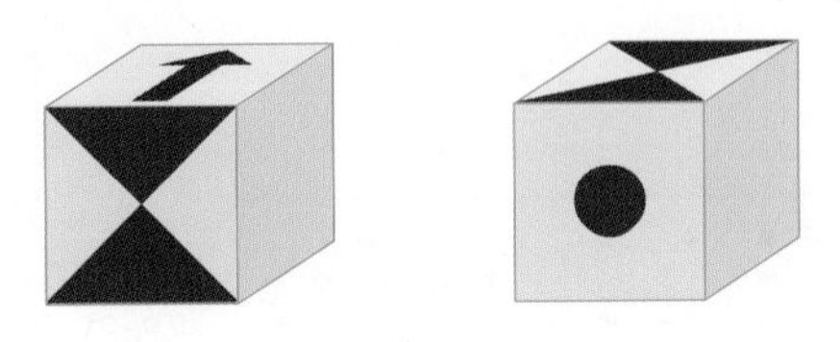

입체도형의 전개도에 ○표 하시오.

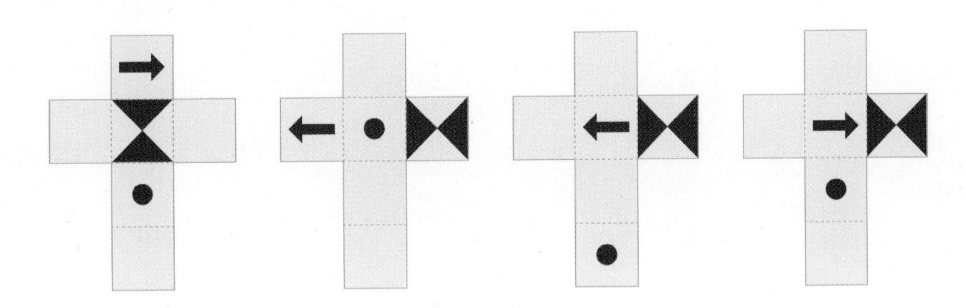

연습 03 전개도의 3면에 3가지 모양을 하나씩 그렸습니다.

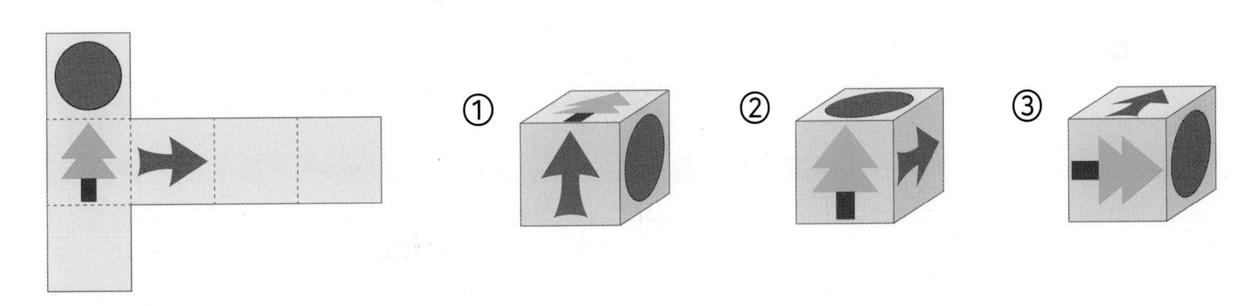

전개도를 접어 나오는 입체도형에 ○표 하시오.

왼쪽 전개도에서 눈의 수가 1, 4, 5인 면이 놓여있는 순서를 생각합니다.

01 전개도를 접었을 때 같은 주사위가 되도록 오른쪽 전개도에 눈을 그려넣어 완성하시오.

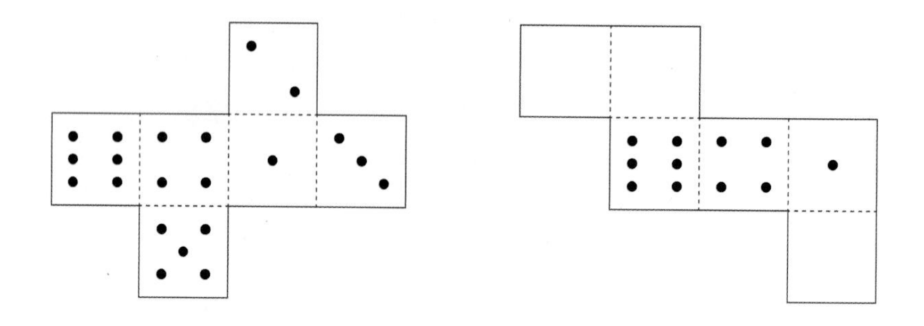

주사위를 앞쪽으로 1번 굴리고 오른쪽으로 3번 굴렸을 때의 윗면의 눈의 수와 같습니다.

02 주사위를 앞쪽으로 13번 굴리고 오른쪽으로 11번 굴렸을 때 주사위 윗면의 눈의 수를 구하시오.

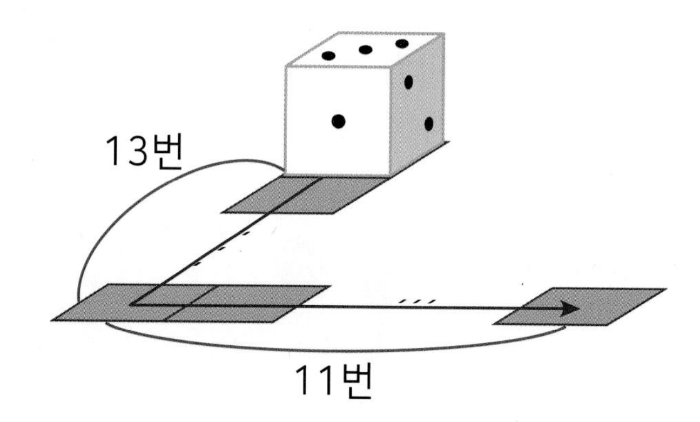

접는 선

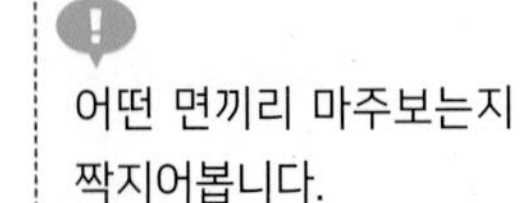

03 마주보는 면의 눈의 합이 7이 아닌 불량 주사위를 뒤로 한 번 굴리고, 다시 오른쪽으로 한 번 굴렸습니다. 단, 각 면에는 1부터 6까지 서로 다른 개수로 눈이 그려져 있습니다.

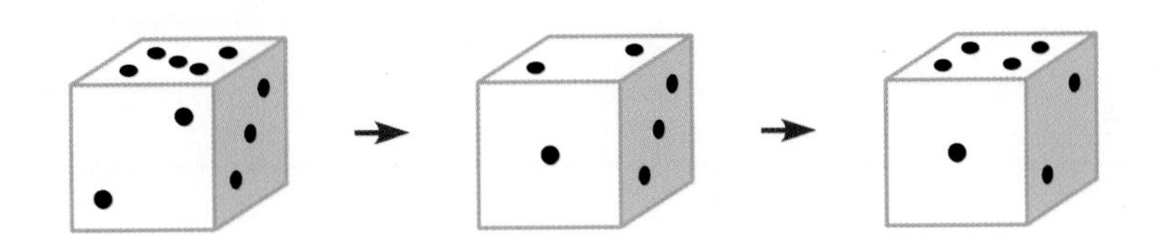

바닥면의 눈의 수를 구하시오.

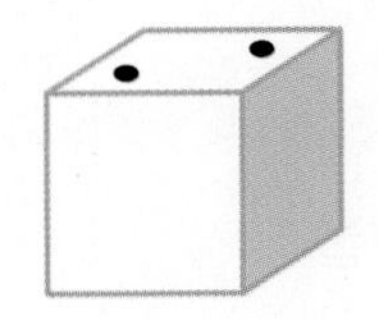

어떤 면끼리 마주보는지 짝지어봅니다.

TOP of TOP

04 연속하는 6개의 수를 써넣어 마주보는 면에 써넣은 수의 합이 9가 되도록 만들었습니다. 이 주사위 3개를 다음과 같이 쌓습니다.

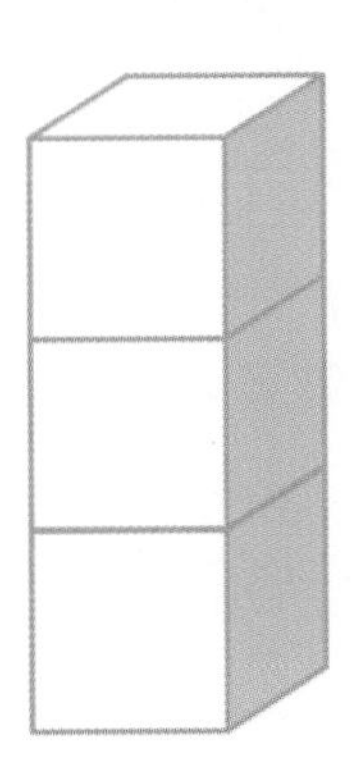

바닥면을 포함한 겉면의 수의 합이 가장 작을 때의 값을 구하시오.

연속하는 6개의 수의 합은 $9 \times 3 = 27$입니다. 연속하는 6개의 수를 먼저 구합니다.

접는 선

TOP 사고력 쑥쑥

학습주제를 시작할 때 학습 날짜를 기록하면서 전체 학습 진도 상황을 체크해 보세요.

B4	단원	학습 주제	학습 날짜
연산	1. 저울산	1-1. 양팔저울	월/ 일
		1-2. 두 식 문제	월/ 일
		1-3. 여러 가지 저울	월/ 일
	2. 여러 가지 배수 관계	2-1. 시간과 거리	월/ 일
		2-2. 배수 관계의 합과 차	월/ 일
		2-3. 조건 2개인 배수관계	월/ 일
입체	3. 쌓기나무 놀이	3-1. 쌓기나무의 모양	월/ 일
		3-2. 스카이스크래퍼	월/ 일
	4. 주사위	4-1. 전개도와 주사위	월/ 일
		4-2. 눈의 수, 면의 모양	월/ 일

1. 저울산

1-1. 양팔저울 | 01~06

01 오른쪽 저울이 평형을 이루도록 빈 접시에 올려야 하는 🍎의 개수를 구하시오.

> ❗ 유형 1-1
> 왼쪽 저울에서 두 접시에 똑같이 올라간 과일을 지웁니다.

02 왼쪽 저울을 보고 오른쪽 저울 중 평형을 이룰 수 없는 것의 기호를 구하시오.

①

②

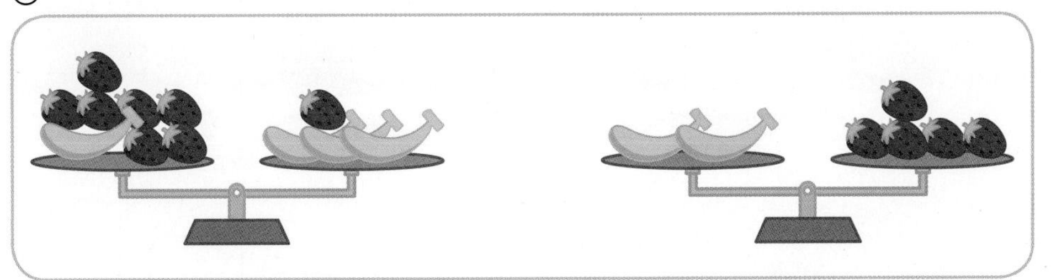

③

> ❗ 유형 1-1
> 왼쪽 저울에서 두 접시에 똑같이 올라간 과일을 지워서 과일 한 개의 무게가 다른 과일 몇 개의 무게와 같은지 먼저 구합니다.

접는 선

유형 1-2

첫 번째 저울에서 똑같은 색깔의 사각형을 지워 초록색, 보라색 사각형의 무게를 먼저 비교합니다.

03

위의 양팔저울을 보고 아래 양팔저울이 평형을 이루도록 빈 접시에 올려야 하는 ■의 개수를 구하시오.

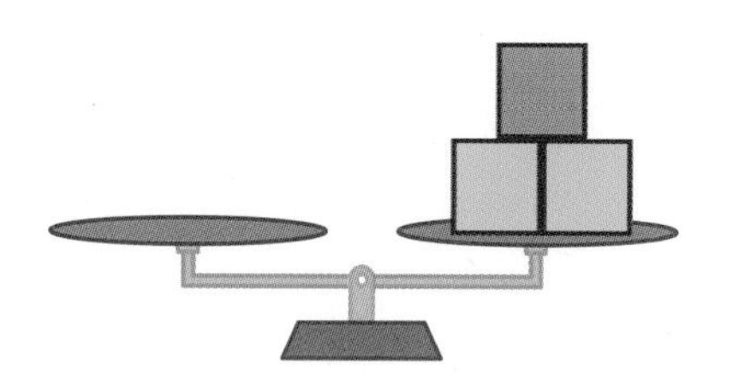

유형 1-2

왼쪽 저울에서 지우개 1개의 무게는 연필 몇 개의 무게와 같은지 알 수 있습니다.

04 연필과 지우개의 무게를 각각 구하시오.

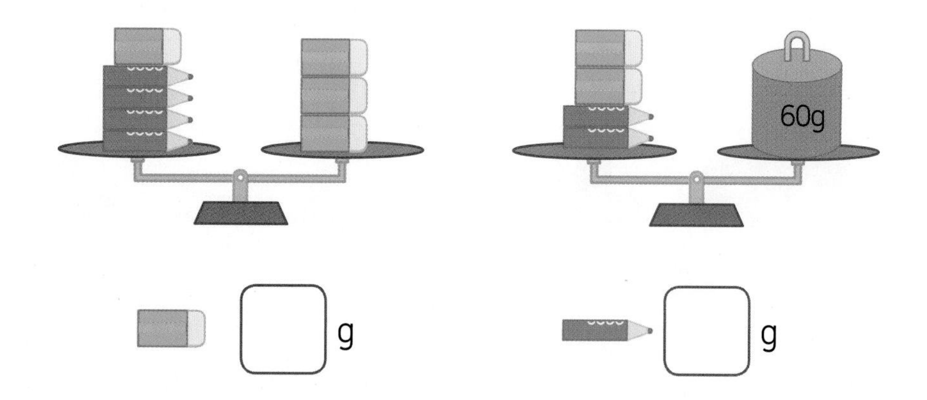

□ g

□ g

접는 선

05 3개의 도형 중 2번째로 무거운 도형에 ○표 하시오.

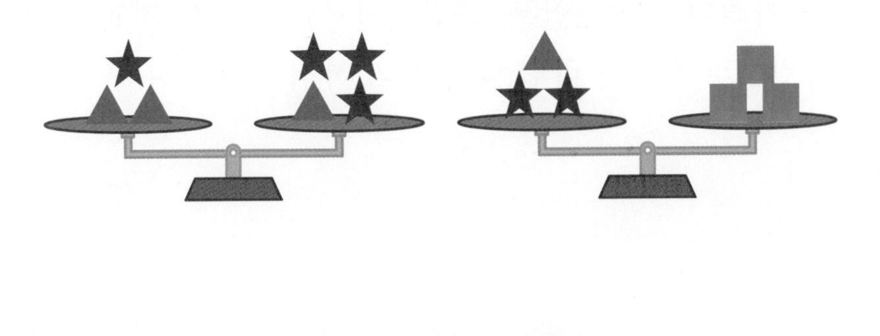

▲ ★ ■

유형 1-2
첫 번째 저울로 삼각형과 별의 무게를 비교할 수 있습니다.

06 3가지 과일과 추를 놓아 다음과 같이 양팔저울을 평형하게 만들었습니다.

과일의 무게를 구하시오.

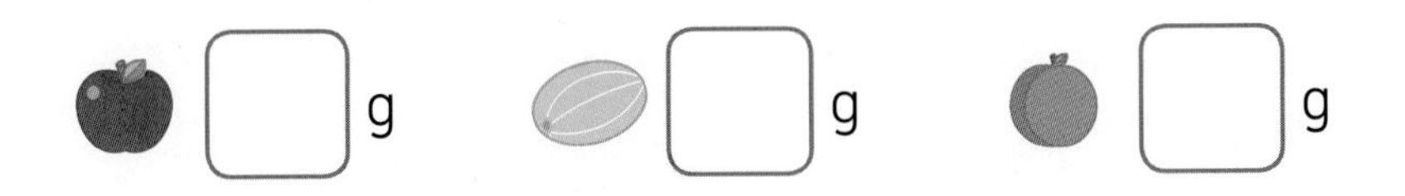

유형 1-2
복숭아 1개의 무게는 사과 1개, 참외 1개의 무게를 합한 것과 같습니다.

접는 선

유형 2-1
첫 번째 조건으로 라면 1인분이 김밥 몇 인분의 가격과 같은지 구할 수 있습니다.

07 김밥 6인분의 가격이 라면 3인분의 가격과 같습니다. 돈까스 1인분의 가격이 김밥 2인분, 라면 2인분의 가격의 합과 같을 때 돈까스 1인분의 가격은 라면 몇 인분의 가격과 같은지 구하시오.

유형 2-1
윤서 나이는 진호 나이의 2배입니다.

08 진호 나이의 8배는 윤서 나이의 4배와 같습니다. 진호 나이의 3배에 윤서의 나이를 더하면 20살입니다. 윤서의 나이를 구하시오.

접는 선

09 저울을 보고 주황색 삼각형 1개는 초록색 삼각형 몇 개의 무게와 같은지 구하시오.

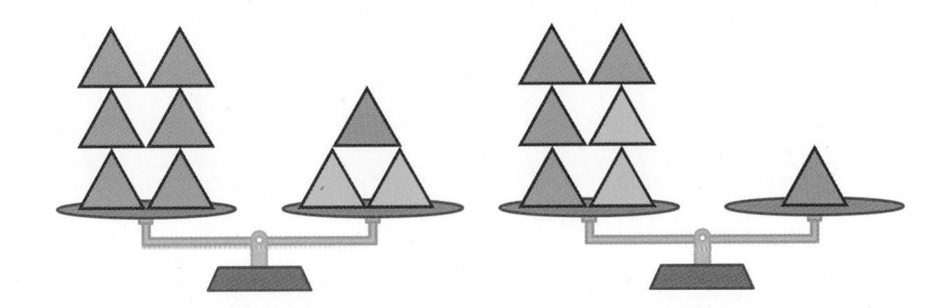

> 유형 2-2
> 보라색 삼각형 1개를 주황색 삼각형 4개와 초록색 삼각형 2개로 바꾸어 무게를 비교합니다.

10 딸기 2개와 참외 1개의 가격은 바나나 7개의 가격과 같고, 참외 3개와 바나나 3개의 가격은 딸기 6개의 가격과 같습니다. 딸기 3개의 가격은 바나나 몇 개와 같은지 구하시오.

> 유형 2-2
> 참외 1개와 바나나 1개의 가격은 딸기 2개의 가격과 같습니다.

접는 선

유형 2-2

닭 2마리와 오리 1마리의 무게의 합은 칠면조 몇 마리의 무게와 같은지 먼저 구합니다.

11 닭 6마리와 오리 3마리의 무게의 합은 칠면조 3마리의 무게와 같고, 오리 4마리와 칠면조 4마리의 무게의 합은 닭 12마리의 무게와 같습니다. 닭 1마리의 무게는 오리 몇 마리의 무게와 같습니까?

유형 2-2

문제에서 지우개는 모두 4개, 연필도 모두 4개 있습니다.

12 지우개 3개와 연필 1개의 무게는 13 g이고, 지우개 1개와 연필 3개의 무게는 15 g입니다. 지우개와 연필의 무게를 구하시오.

: ☐ g　　　: ☐ g

접는 선

13 곱셈 구구표에서 ㉠단의 4번째 수와 ㉡단의 3번째 수의 합은 32이고, ㉠단의 3번째 수와 ㉡단의 4번째 수의 합은 31입니다. 수 ㉠, ㉡을 구하시오.

! 유형 2-2
문제에 나와있는 수를 모두 더하면 ㉠단의 7번째 수와 ㉡단의 7번째 수의 합과 같습니다.

14 사과 5개와 배 2개의 값은 2300원이고 사과 2개와 배 5개의 값은 2600원입니다. 사과 1개의 값을 구하시오.

! 유형 2-2
사과는 모두 7개, 배도 모두 7개 있습니다.

접는 선

유형 3-1

용수철의 눈금은 용수철 아래에 달린 모든 용수철과 추의 무게의 합을 나타냅니다.

15 무게가 8 g인 용수철 저울을 사용하여 두 가지 방법으로 무게를 재고, 용수철이 가리키는 눈금을 용수철 저울 옆에 적었습니다. ▢ 안에 용수철이 가리키는 눈금을 써넣으시오. 단, 연결 선의 무게는 무시합니다.

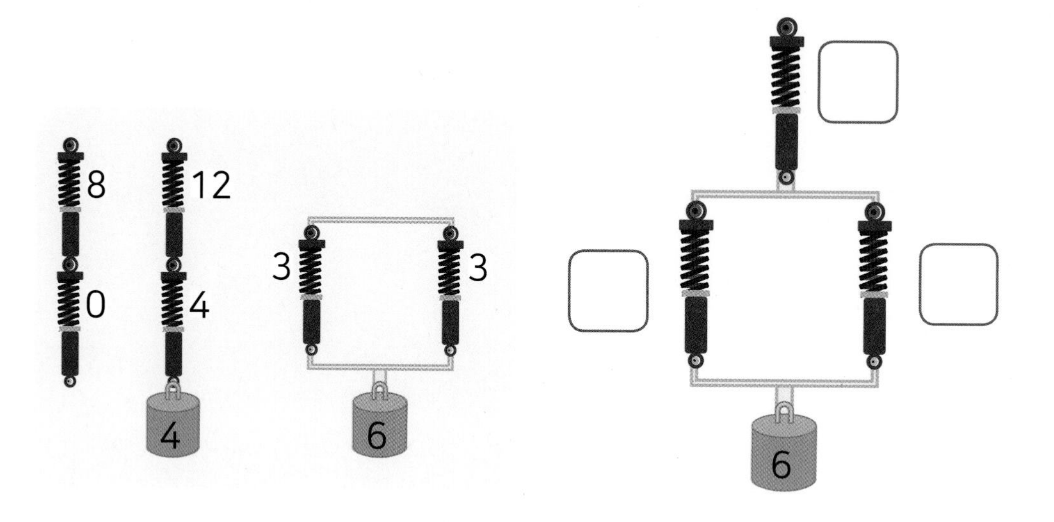

유형 3-1

가장 아래 층의 두 저울은 위에 있는 두 저울의 무게의 합은 반으로 나눈 만큼을 각각 표시합니다.

16 저울 4개를 그림과 같이 쌓았습니다. 2층의 저울이 몇 kg을 나타내는지 구하시오.

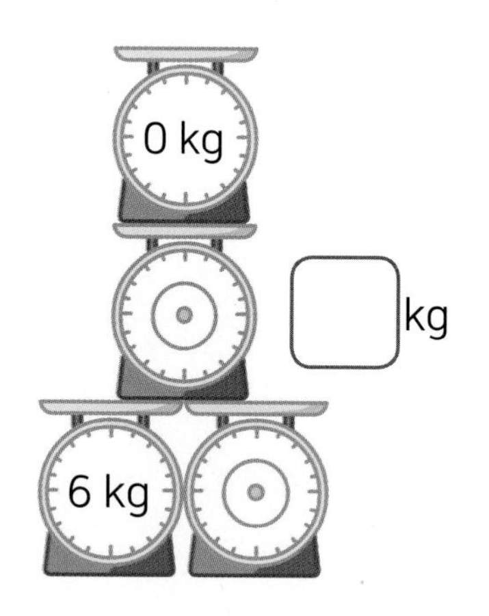

접는 선

2. 여러 가지 배수 관계

2-1. 시간과 거리 | 01~06

01 연필 6개의 길이는 바둑돌 27개의 길이와 같고 나무막대 1개의 길이는 바둑돌 45개의 길이와 같습니다. 나무막대 1개의 길이는 연필 몇 개의 길이와 같은지 구하시오.

유형 1-1
바둑돌 9개의 길이는 연필 몇 개의 길이와 같은지 먼저 구합니다.

02 빵 10개의 가격은 과자 16개의 가격과 같습니다. 과자 40개의 가격은 빵 몇 개의 가격과 같은지 구하시오.

유형 1-1
과자 8개의 가격은 빵 몇 개의 가격과 같은지 먼저 구합니다.

접는 선

유형 1-2

처음에 수진이는 지연이보다 32층 위에 있습니다. 3분마다 두 사람 사이의 층수는 8층씩 줄어듭니다.

03 지연이는 1층에 있고 수진이는 33층에 있습니다. 지연이는 3분에 5층씩 올라가고 수진이는 3분에 3층씩 내려갑니다. 둘이 몇 분 후에 만나는지 구하시오.

유형 1-2

두 사람이 걸은 거리의 합이 640 m가 될 때 두 사람이 두 번째로 만나게 됩니다. 두 사람이 걸은 거리의 합은 3분에 80 m씩 늘어납니다.

04 준수와 시아는 둘레의 길이가 320 m인 운동장 둘레를 따라 걷습니다.

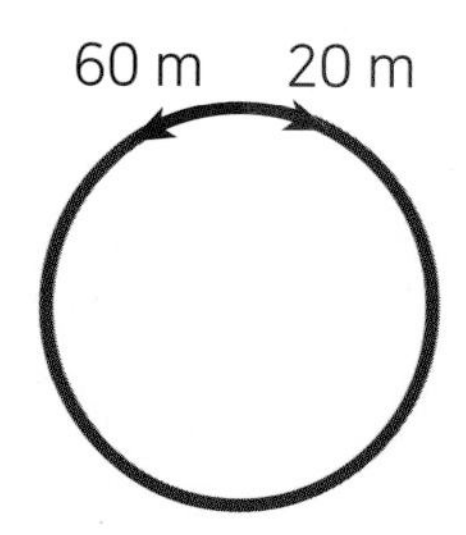

준수는 시계 방향으로 3분에 20 m, 시아는 시계 반대 방향으로 3분에 60 m 씩 걷는다면, 몇 분 후에 두 사람이 두 번째로 만나는지 구하시오.

접는 선

05 진수는 이틀마다 용돈을 500원 받고 하루에 용돈을 400원 씁니다. 10일 후에 준수가 가진 용돈이 다 떨어졌다면 처음에 준수가 갖고 있던 용돈은 얼마인지 구하시오.

유형 1-3
이틀마다 용돈을 500원 받고 이틀에 용돈을 800원 씁니다.

06 연수와 재민이 두 사람은 운동장 둘레를 따라 시계 방향으로 걷습니다. 연수는 2분에 30 m, 재민이는 2분에 50 m 걷는데 16분 지나니 두 사람이 걸은 거리가 운동장 한 바퀴만큼 차이 납니다. 운동장의 둘레를 구하시오.

유형 1-3
두 사람이 걸은 거리의 차는 2분마다 20 m씩 커집니다.

접는 선

유형 2-1
도서관에 있는 책의 권수는 백과사전 권수의 몇 배인지 먼저 구합니다.

07 도서관에 위인전과 백과사전이 모두 49권 있는데 위인전의 권수가 백과사전 권수의 6배입니다. 위인전은 모두 몇 권 있는지 구하시오.

유형 2-1
둘이 먹은 과자는 동생이 먹은 과자의 몇 배인지 먼저 구합니다.

08 누나와 동생이 과자를 모두 40개 먹었습니다. 누나가 먹은 과자가 동생이 먹은 과자의 7배라면 누나가 먹은 과자는 몇 개인지 구하시오.

접는 선

09 꽃집에 장미와 튤립이 있습니다. 장미는 튤립보다 16송이 더 많고 장미의 수는 튤립의 수의 3배입니다. 꽃집에 장미가 몇 송이 있는지 구하시오.

유형 2-2
꽃집에 있는 꽃의 개수는 튤립의 개수의 몇 배인지 먼저 구합니다.

10 수박의 무게는 참외 무게의 6배입니다.

양팔저울을 보고 수박의 무게를 구하시오.

유형 2-2
오른쪽 접시에 놓인 참외와 추의 무게는 참외 6개의 무게와 같습니다.

접는 선

유형 2-2
공책의 세로 길이와 연필 길이의 차는 연필 길이의 2배입니다.

11 공책의 세로 길이는 연필 길이의 3배입니다. 공책의 세로 길이가 연필 길이보다 18 cm 더 길 때 공책의 세로 길이를 구하시오.

유형 2-3
이모와 조카의 나이의 합은 조카의 나이의 3배보다 3살 많습니다.

12 올해 이모와 조카의 나이의 합은 36살이고 이모의 나이는 조카의 나이의 2배보다 3살 많습니다. 올해 이모의 나이를 구하시오.

접는 선

13 올해 현수의 나이는 4살이고 4년 후에 현수의 나이는 같은 해의 현수 형의 나이의 절반이 됩니다. 올해 현수 형의 나이를 구하시오.

유형 2-3
4년 후에 현수 형의 나이는 올해 현수 나이의 4배입니다.

14 지수의 동생은 지수보다 2살 어립니다. 올해 지수, 동생, 엄마의 나이의 합은 37살이고 내년에는 엄마의 나이가 지수와 동생 나이의 합의 3배가 됩니다. 올해 지수의 나이를 구하시오.

유형 2-3
내년에 세 사람의 나이의 합은 40살이 됩니다.

접는 선

유형 3-1
고양이 12마리가 2시간 동안 잡는 쥐의 수를 먼저 구합니다.

15 고양이 6마리가 2시간 동안 쥐 40마리를 잡습니다. 고양이 12마리가 6시간 동안 잡는 쥐의 수를 구하시오.

유형 3-1
강아지 6마리가 하루에 먹는 사료는 24봉지의 절반입니다.

16 강아지 6마리가 2일 동안 사료 24봉지를 먹습니다. 사료 42봉지가 있으면 강아지 7마리를 며칠 동안 먹일 수 있는지 구하시오.

접는 선

3-1. 쌓기나무의 모양 | 01~08

01 쌓기나무로 만든 모양의 위에서 본 모양을 그리고 각 칸에 쌓인 쌓기나무의 층수를 써넣었습니다. 빈칸을 채우고 앞과 오른쪽 옆에서 본 모양을 그리시오.

유형 1-1
보라색, 주황색 빈칸에는 그 줄에 있는 세 칸의 수 중 가장 큰 수를 써넣습니다.

(1)

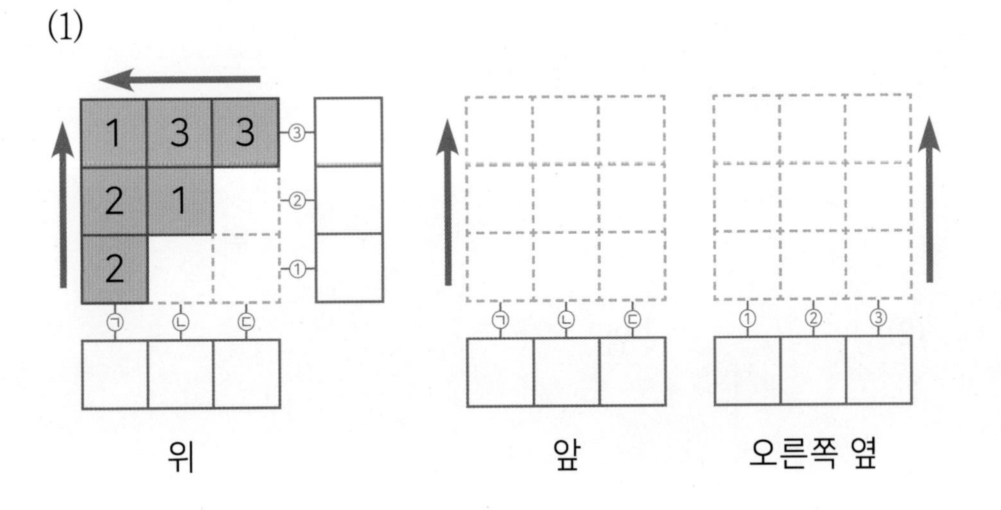

(2)

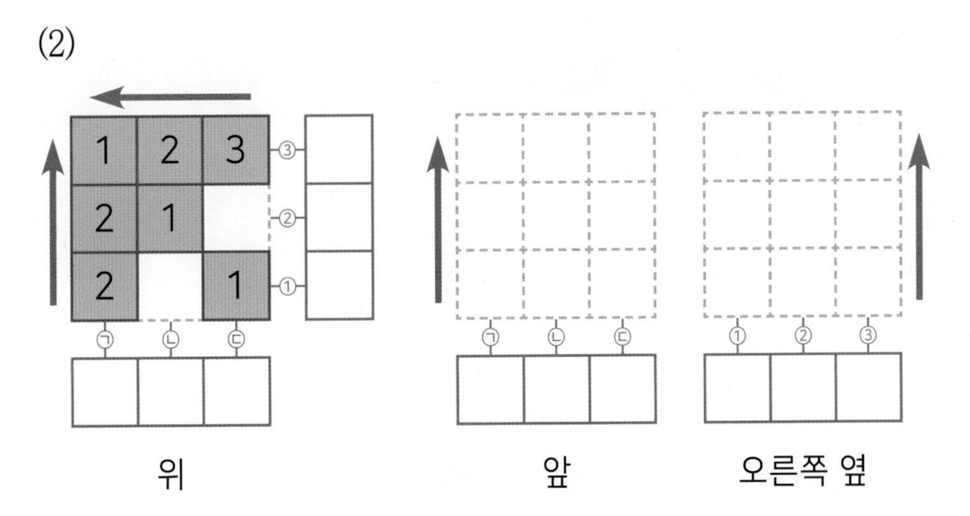

(3)

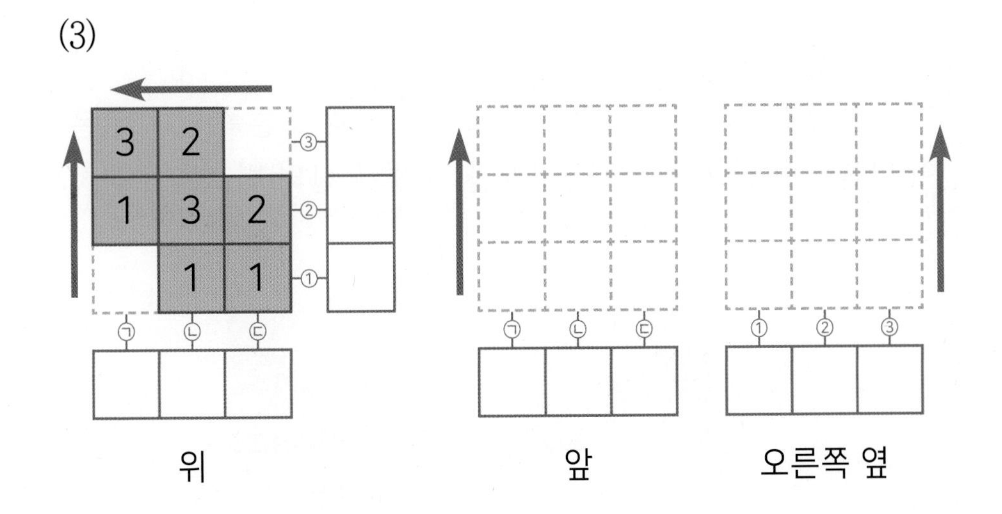

접는 선

유형 1-1 위에서 본 모양을 먼저 그리고 각 칸에 수를 써넣습니다.

02 위에서 본 모양에 각 칸에 쌓인 쌓기나무의 층수를 써넣고 쌓기나무의 개수를 구하시오.

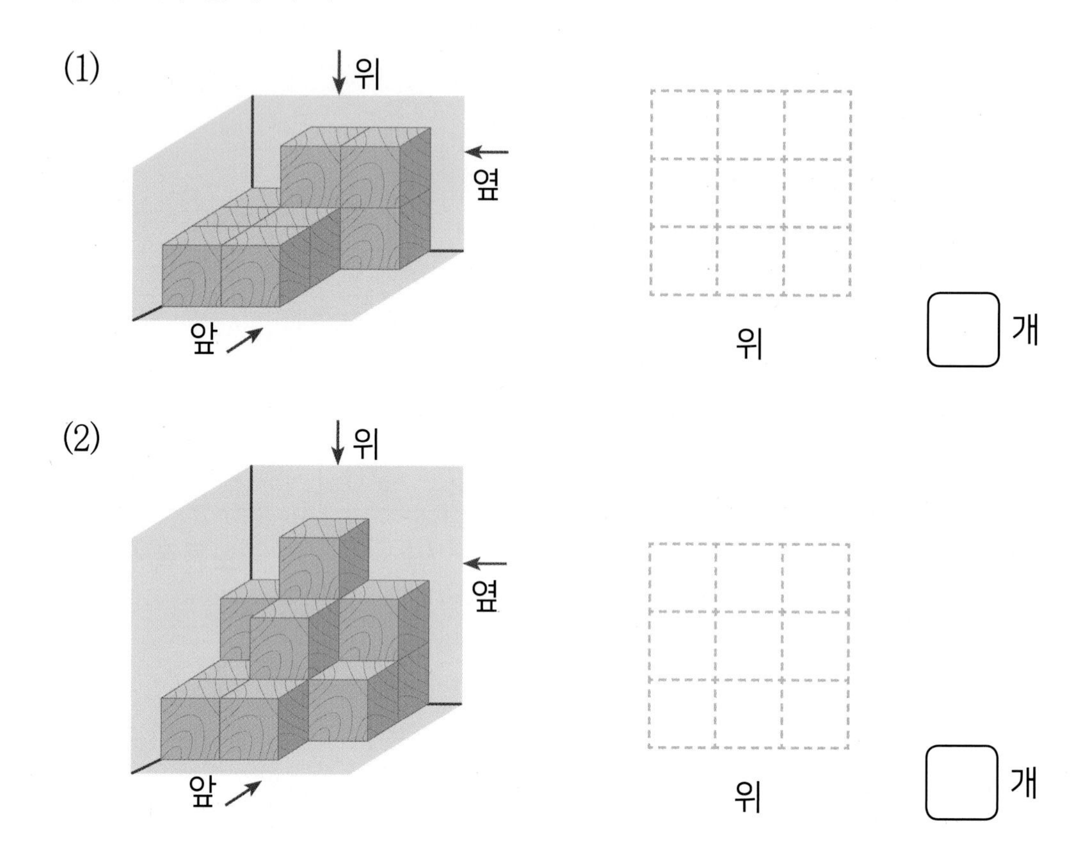

유형 1-1 앞에서 본 모양이 문제와 같이 되려면 ①, ④, ⑧, ⑫번 칸 중 한 곳에 쌓기나무를 쌓아야 합니다.

03 쌓기나무 4개를 쌓은 모양이 있습니다.

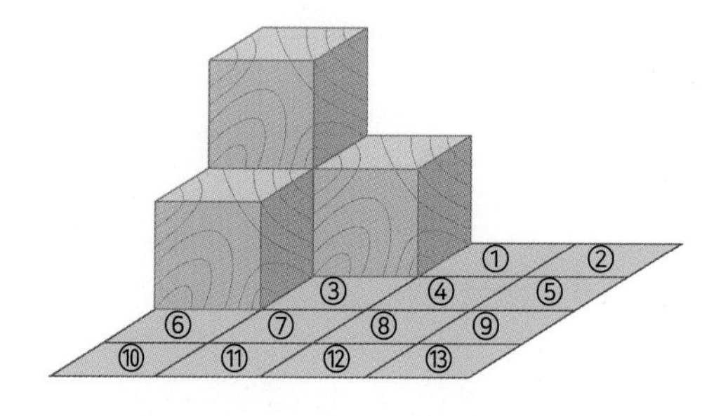

여기에 쌓기나무 1개를 더 쌓은 모양을 앞과 오른쪽 옆에서 본 모양이 다음과 같을 때 쌓기나무 1개를 더 쌓은 칸의 번호를 구하시오.

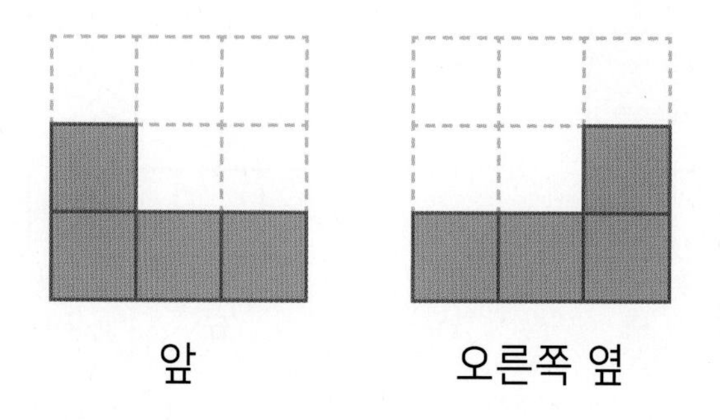

접는 선

04 오른쪽 옆에서 본 그림자가 다음과 같은 쌓기나무 모양을 찾아 기호를 쓰시오.

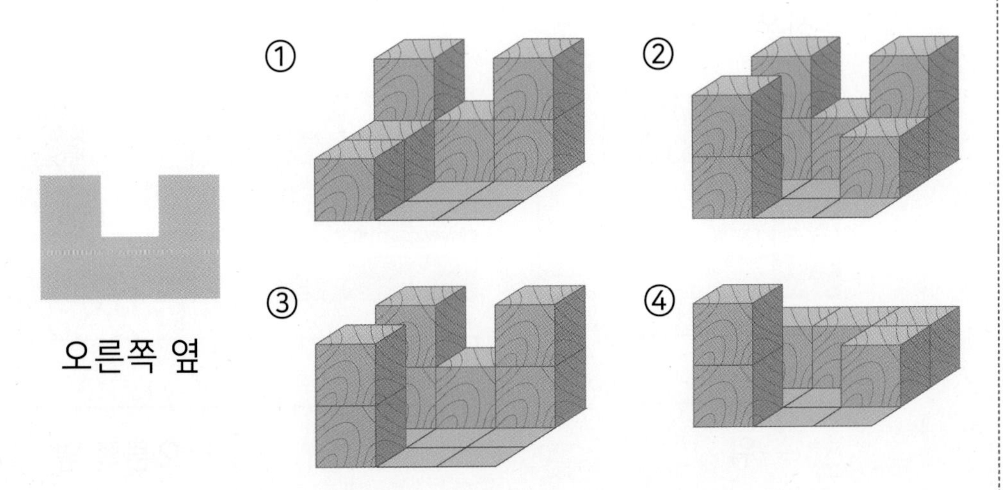

유형 1-1
오른쪽 옆에서 봤을 때 각 줄에 보이는 모양이 왼쪽부터 순서대로 2층, 1층, 2층입니다.

05 쌓기나무 8개로 만든 모양에 1개를 덜어낸 후 위, 앞, 오른쪽 옆에서 보았습니다. 아래 모양에서 덜어낸 쌓기나무 1개를 찾아 ○표 하시오.

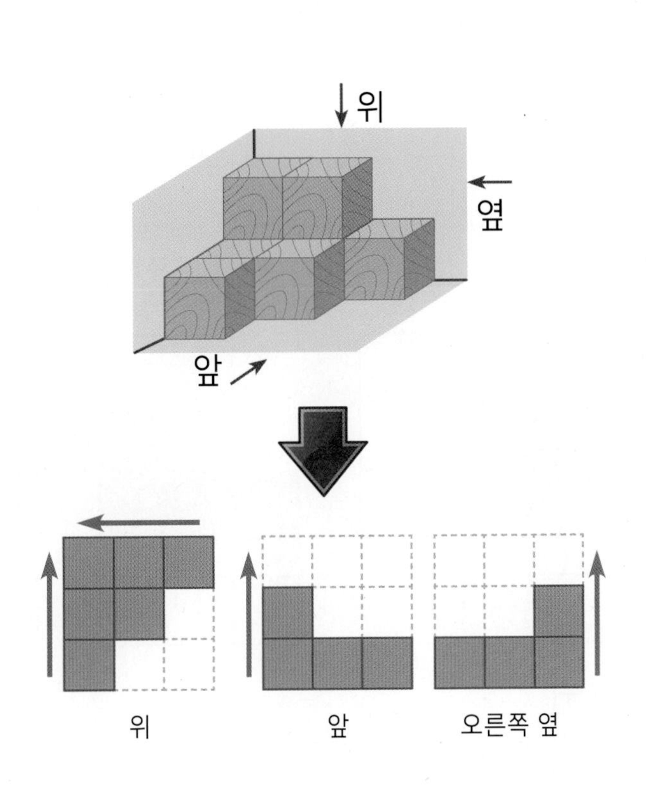

유형 1-1
덜어내기 전에는 앞에서 봤을 때 2층으로 보이는 줄이 2개 있습니다.

접는 선

유형 1-2
앞에서 본 모양과 오른쪽 옆에서 본 모양을 비교하여 층수가 가장 높은 칸을 먼저 찾습니다.

06 쌓기나무로 만든 모양을 위, 앞, 오른쪽 옆에서 본 모양입니다. 똑같은 모양을 만들기 위해 필요한 쌓기나무의 전체 개수를 □안에 써넣으시오.

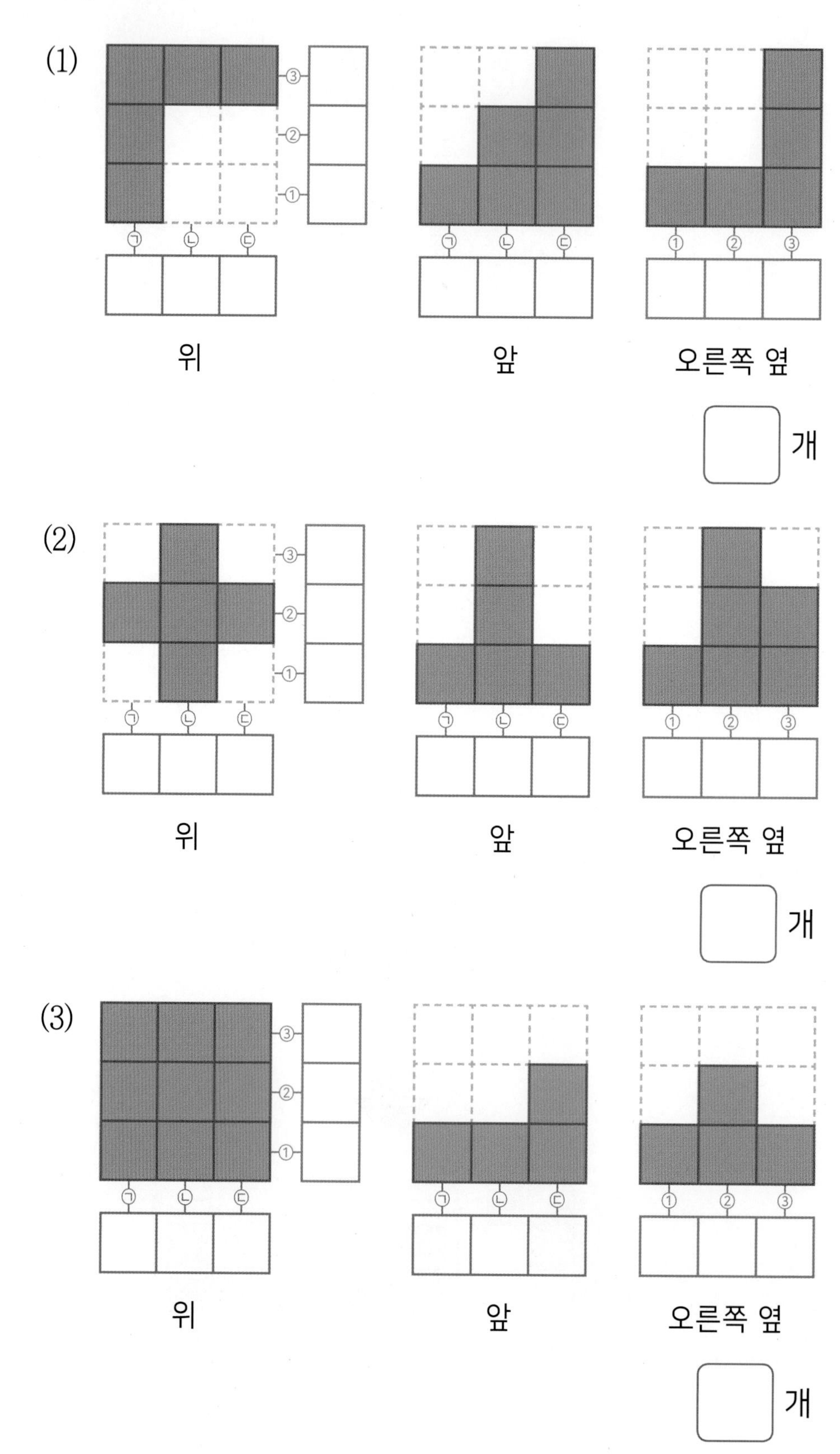

접는 선

07 쌓기나무로 만든 모양을 위, 오른쪽, 앞에서 본 모양이 다음과 같습니다. 쌓기나무를 적어도 몇 개 사용했는지 구하시오.

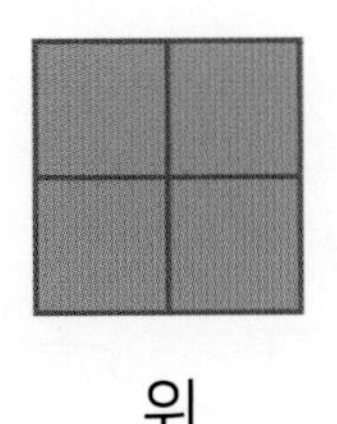

위

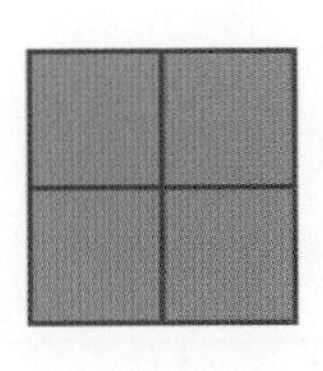

오른쪽 옆

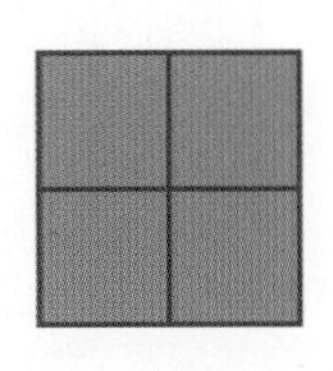

앞

유형 1-2
위에서 본 모양에서 한 줄에 2층인 칸이 적어도 1개씩 있어야 합니다.

08 쌓기나무 9개로 만든 모양을 보고 위, 오른쪽 옆에서 본 모양을 그렸습니다. 위에서 본 모양의 각 칸에 그 칸에 있는 쌓기나무의 개수를 써넣으시오.

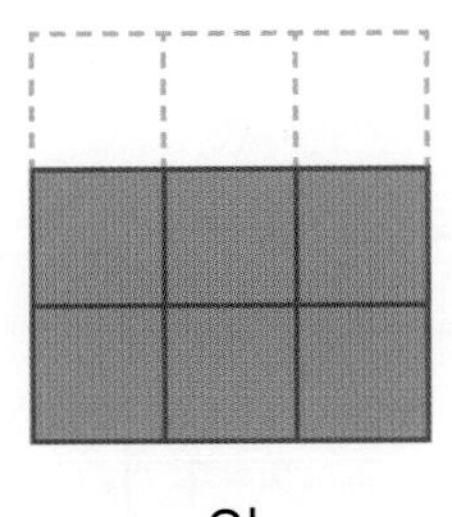

위

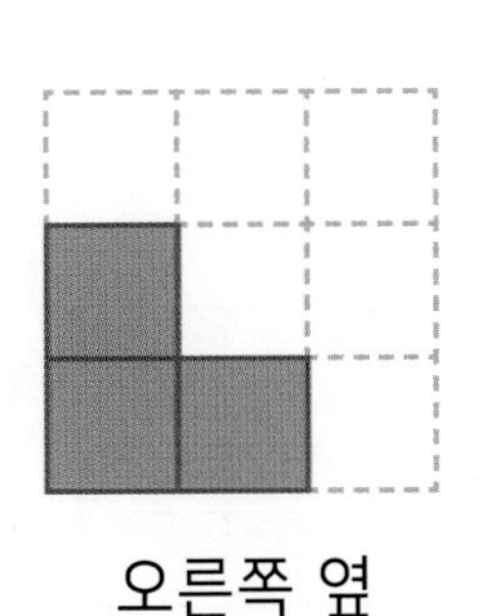

오른쪽 옆

유형 1-2
위에서 본 모양에서 쌓기나무를 2층으로 쌓은 칸을 찾습니다.

접는 선

유형 2-1
4가 가장 앞에 있으면 그 줄에서는 건물이 한 개만 보입니다.

09 표 안의 칸마다 1층부터 4층까지 건물이 있는 스카이스크래퍼 퍼즐입니다. 표 밖의 □에 수를 알맞게 써넣으시오.

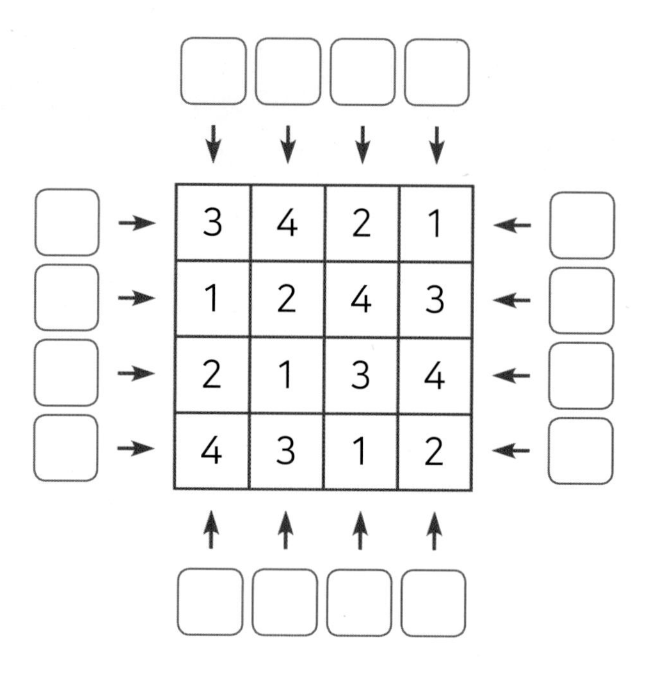

유형 2-1
표 밖의 수가 4인 줄에는 1부터 4까지의 수가 순서대로 들어가게 됩니다.

10 표 안의 칸마다 1층부터 4층까지 건물이 있는 스카이스크래퍼 퍼즐입니다. 표 안에 수를 알맞게 써넣으시오.

(1)

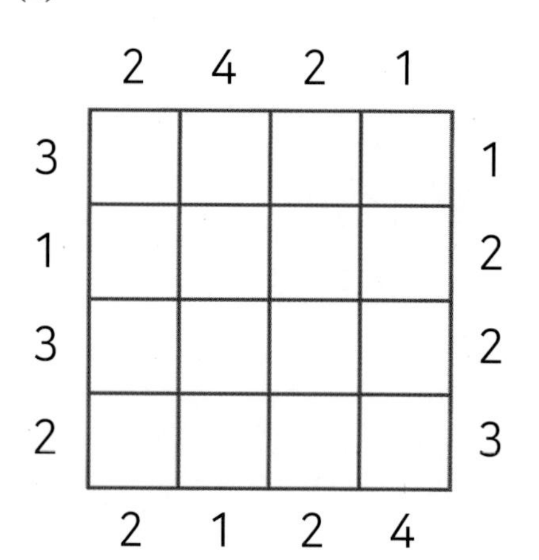

(2)

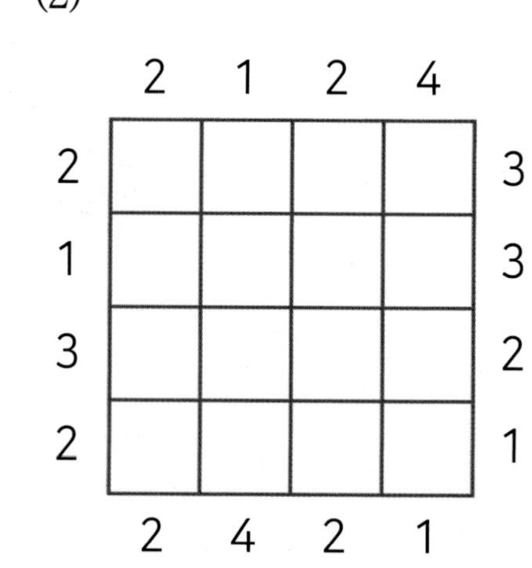

접는 선

11 1층부터 4층까지 건물이 있는 스카이스크래퍼 퍼즐의 건물을 앞, 왼쪽 옆, 뒤에서 본 모양이 다음과 같습니다. 먼저 표 밖의 빈 칸을 채우고, 표 안에 알맞은 수를 써넣으시오.

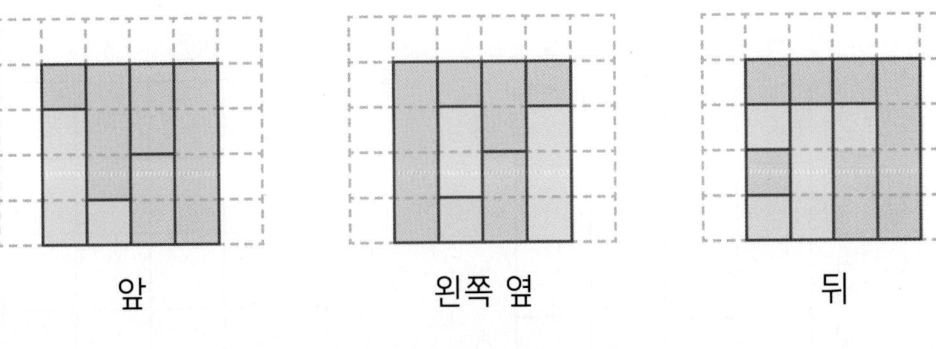

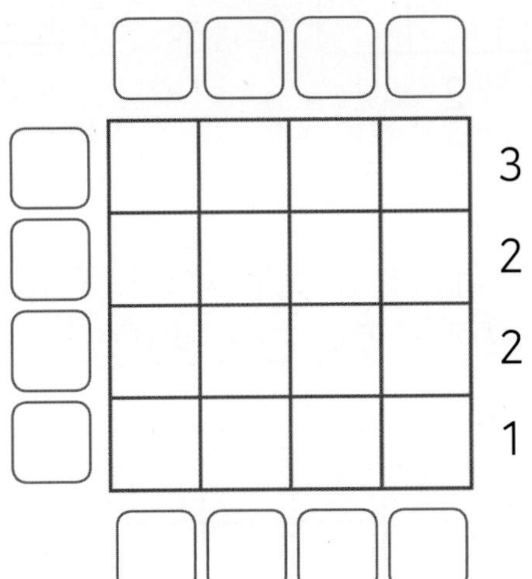

유형 2-1
먼저 표 밖에 각 줄에서 보이는 건물의 개수를 써넣습니다.

12 스카이스크래퍼 퍼즐판의 일부입니다. 색칠된 칸에 알맞은 수를 써넣으시오.

(1) (2)

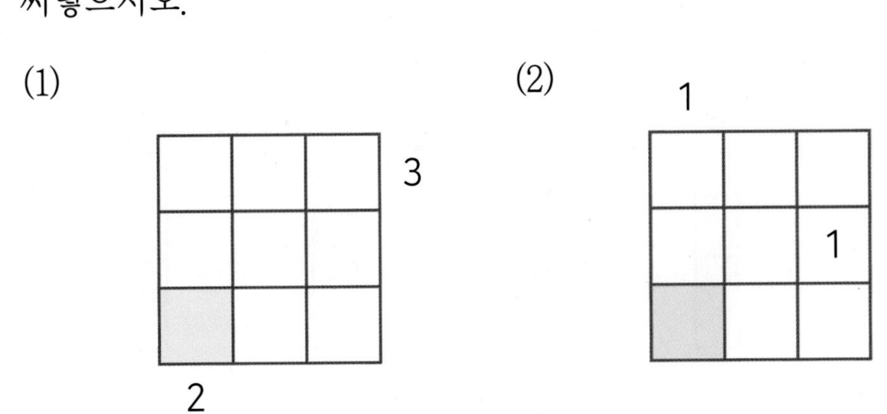

유형 2-2
표 밖의 수가 3인 줄에는 1, 2, 3이 순서대로 오고 표 밖의 수가 1인 줄에는 3이 가장 앞에 오게 됩니다.

접는 선

유형 2-2
표 밖의 수가 4인 줄의 칸을 먼저 채웁니다.

13 스카이스크래퍼 퍼즐판의 일부입니다. ☐ 안에 알맞은 수를 써넣으시오.

(1)

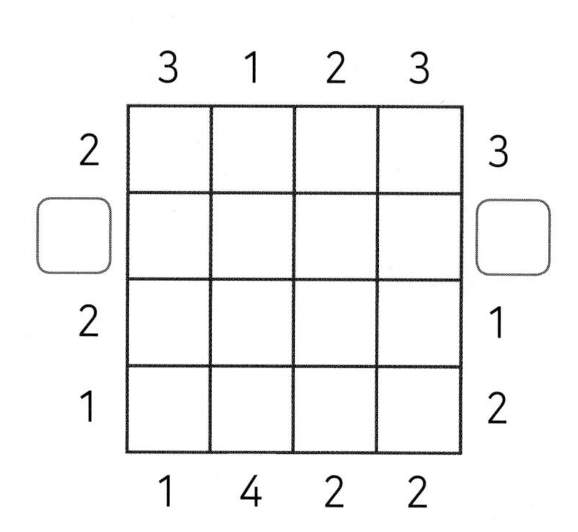

(2)

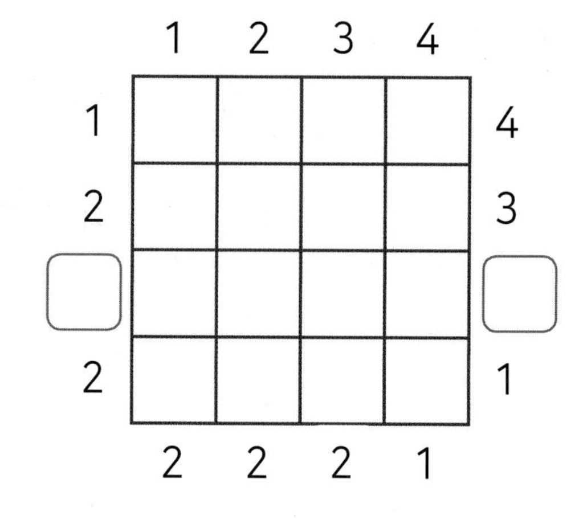

유형 2-2
표 밖의 수가 4인 줄의 칸을 먼저 채워넣습니다.

14 스카이스크래퍼 퍼즐판의 일부입니다. 화살표 방향대로 보았을 때 보이는 건물의 모양을 찾아 ○표 하시오.

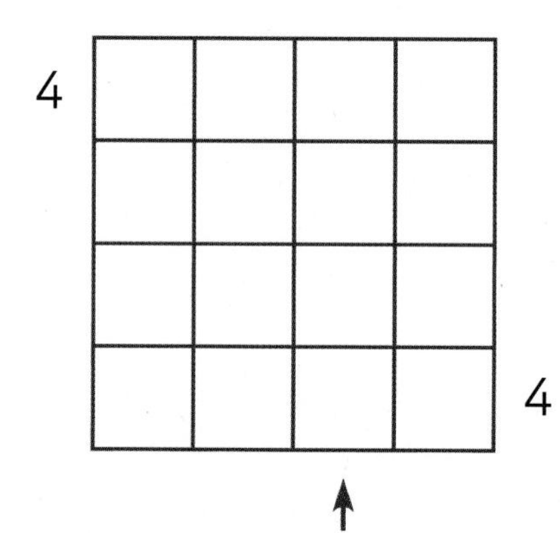

①

②

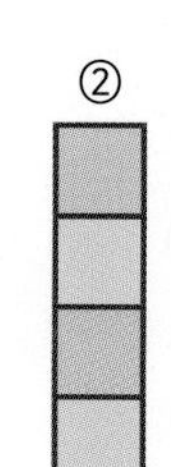

③

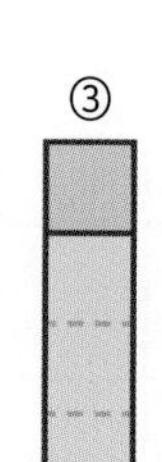

④

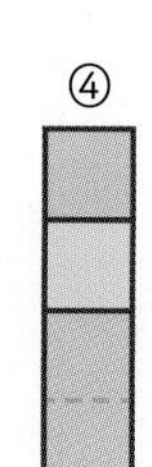

접는 선

4-1. 전개도와 주사위 | 01~10

01 주사위 바닥면의 눈의 수의 합을 구하시오.

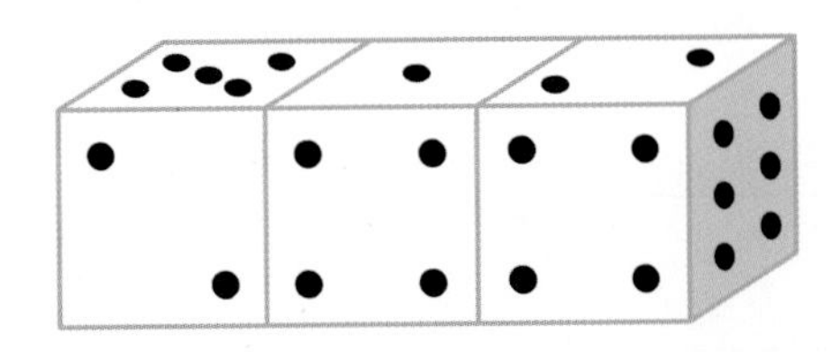

유형 1-1
마주보는 면의 눈의 수의 합은 7이 됩니다.

02 다음 전개도를 접으면 어떤 주사위가 되는지 찾아 ○표 하시오.

(1)

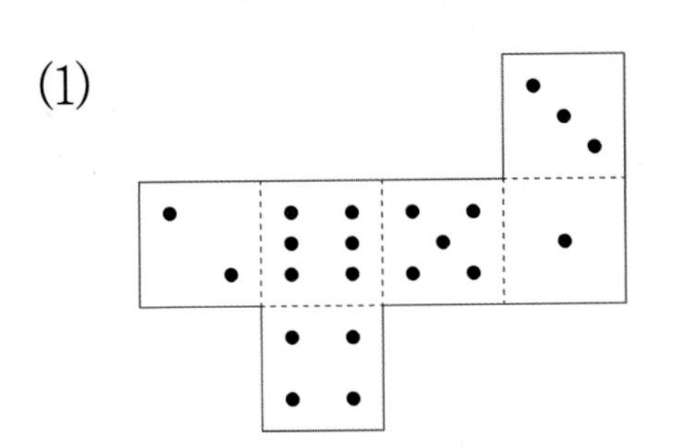

①

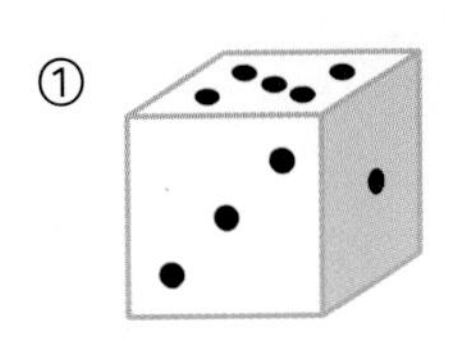

②

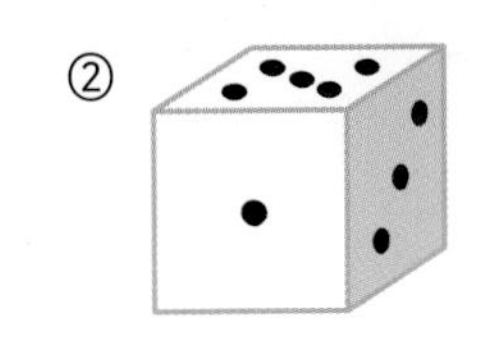

(2)

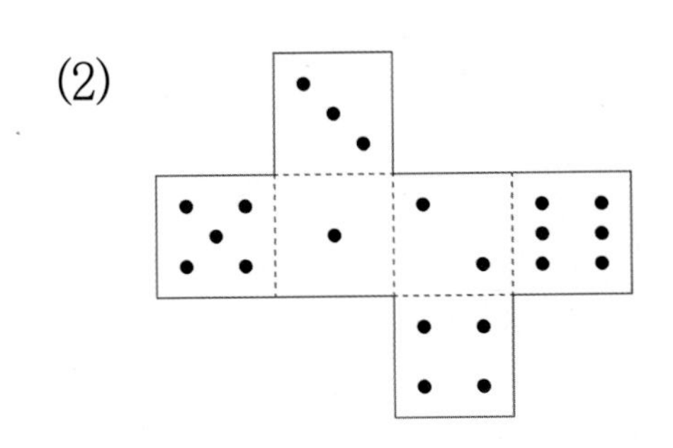

①

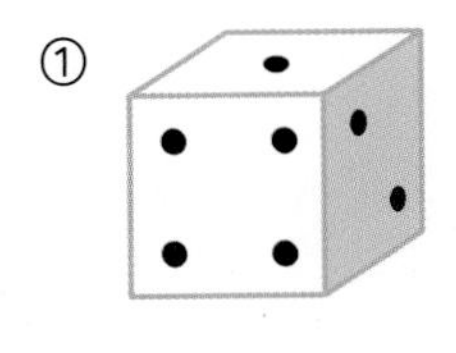

②

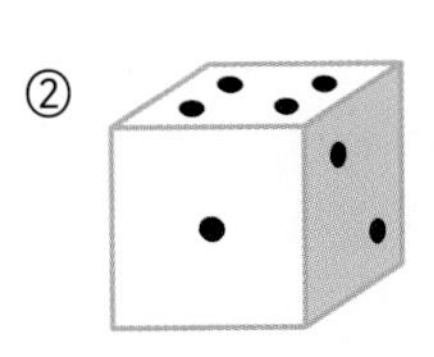

유형 1-1
주사위의 만나는 점을 중심으로 면이 어떤 순서로 배열되어 있는지 살펴봅니다.

접는 선

유형 1-1

서로 마주 보는 면을 3쌍으로 묶을 수 없는 전개도를 찾습니다.

03 접어서 주사위 모양이 될 수 없는 전개도에 모두 X표 하시오.

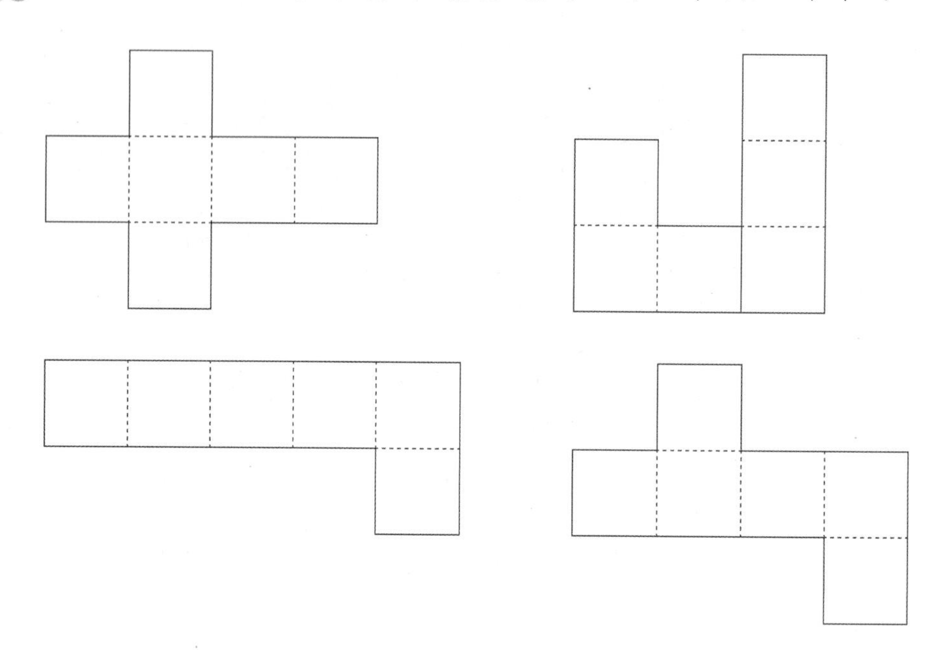

유형 1-1

전개도의 모든 면은 하나로 연결되어 있어야 합니다.

04 주사위 전개도의 일부입니다. 눈이 2인 면이 오는 칸에 ○표 하시오.

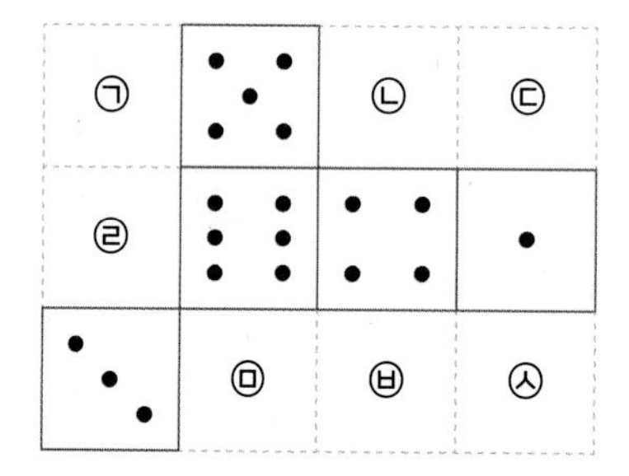

접는 선

05 다음은 주사위 모양 전개도의 일부입니다. 여기에 면 1개를 더 붙여서 만들 수 있는 주사위 모양 전개도는 몇 가지인지 구하시오.

마주보는 면 2쌍을 먼저 찾아봅니다.

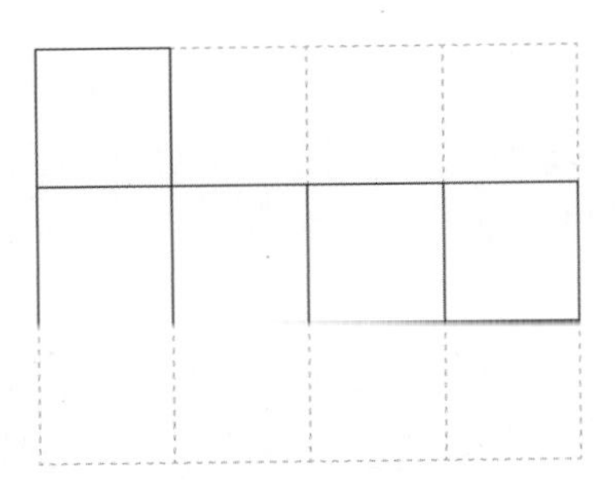

06 왼쪽 주사위를 펼쳐 오른쪽의 전개도를 만듭니다.

유형 1-2

㉠면은 눈의 수가 4인 면과 마주 보지 않습니다.

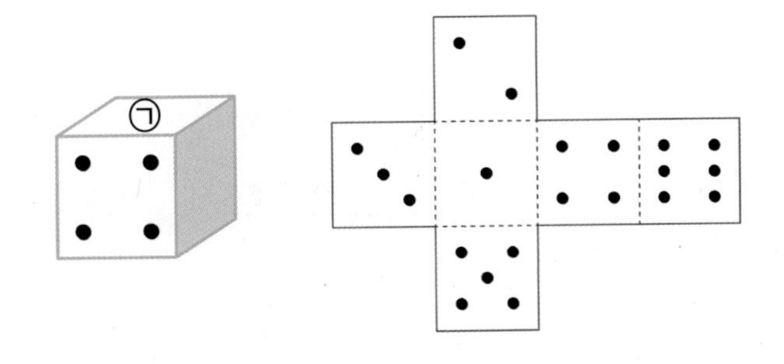

㉠면에 올 수 없는 눈의 수를 구하시오.

접는 선

유형 1-2

눈의 수가 5, 6인 면을 먼저 찾습니다.

07 주사위의 전개도의 일부를 그렸습니다. 빈 칸에 눈을 알맞게 써넣으시오.

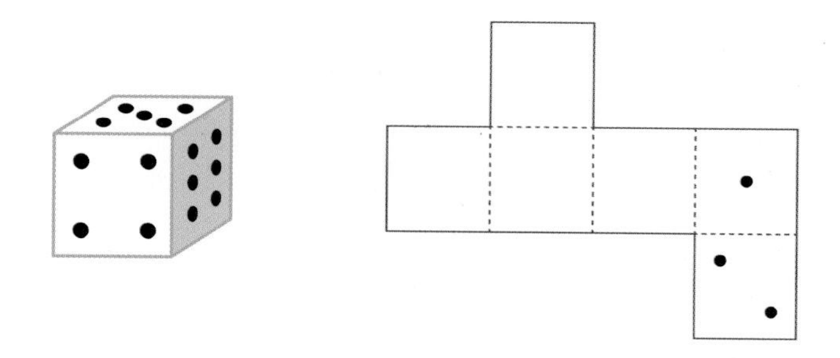

유형 1-3

왼쪽 주사위의 오른쪽 면의 눈의 수를 먼저 구합니다.

08 맞닿은 두 면의 눈의 수의 합이 8이 되도록 같은 주사위 2개를 붙였습니다. ㉠면의 눈의 수를 구하시오.

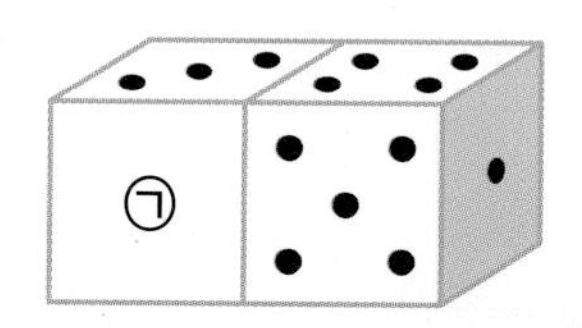

접는 선

09 주사위를 돌려서 다른 면이 보이게 놓았습니다. ㉠면에 오는 눈의 수를 구하시오.

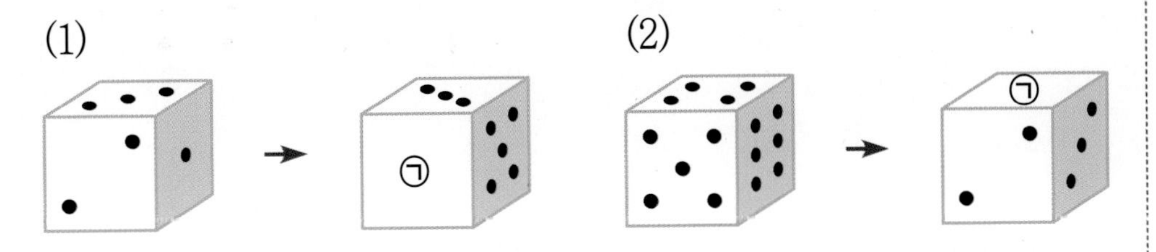

> **유형 1-3**
> (1): 주사위를 위에서 봤을 때 시계 방향으로 반의 반 바퀴 돌린 모양을 생각합니다.
> (2): 주사위를 앞으로, 또는 뒤로 2번 굴리고, 다시 오른쪽으로 한 번 굴린 모양을 생각합니다.

10 맞닿은 두 면의 눈의 수의 합이 9가 되도록 같은 주사위 2개를 놓았습니다. ㉠면의 눈의 수를 구하시오.

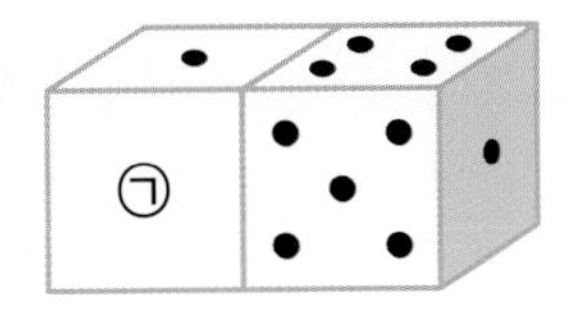

> **유형 1-3**
> 오른쪽 주사위의 왼쪽 면의 눈의 수는 6입니다.

접는 선

유형 2-1
눈의 수가 1, 2, 3인 면이 모이는 점을 중심으로 시계 반대 방향 순서대로 놓여 있습니다.

11 같은 주사위 3개를 놓았습니다. 겉면의 눈의 수의 합을 구하시오.

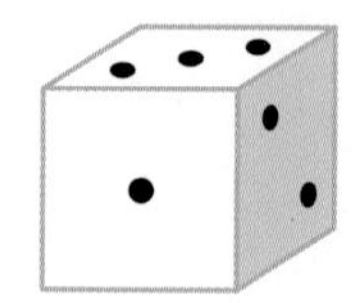

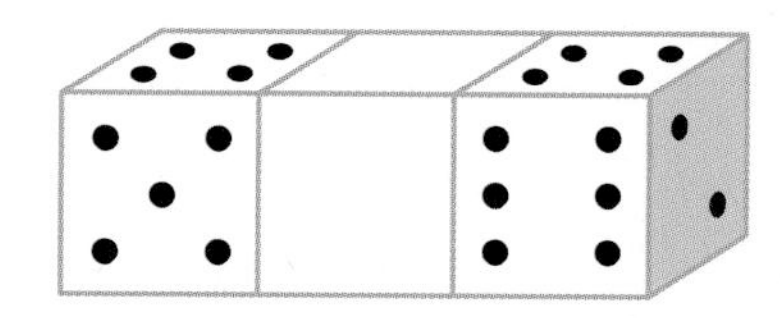

유형 2-1
겉면 중 서로 마주보는 면은 4쌍 있습니다.

12 같은 주사위 2개를 쌓았습니다.

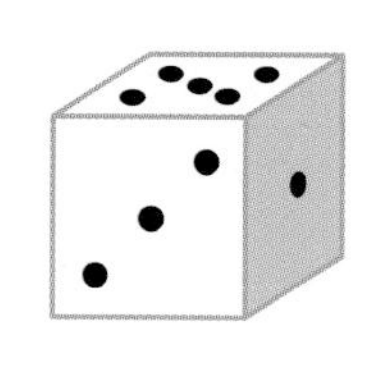

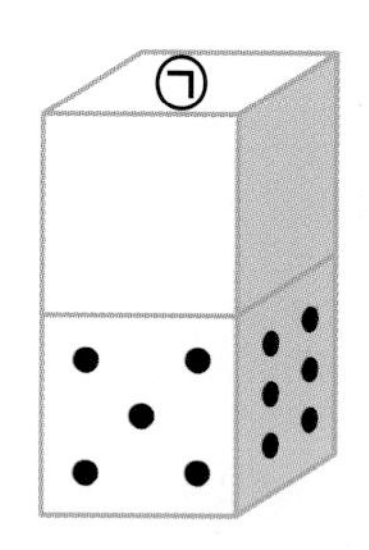

바닥면을 포함한 겉면의 눈의 수의 합이 33일 때 ㉠면의 눈의 수를 구하시오.

접는 선

13 맞닿은 면의 눈의 수의 합이 7이 되도록 주사위를 놓았습니다.

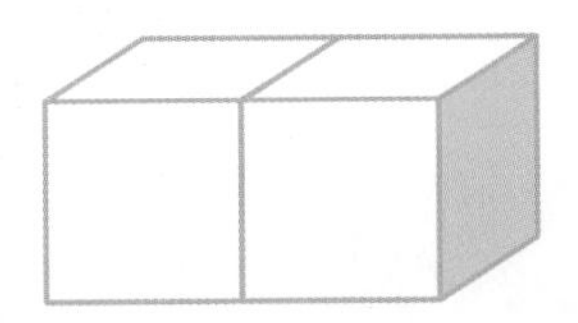

바닥면을 포함한 주사위 겉면의 눈의 수의 합을 구하시오.

유형 2-1
오른쪽 주사위의 왼쪽 면과 왼쪽 주사위의 오른쪽 면의 눈의 수의 합은 7이 됩니다.

14 주사위 모양 입체도형의 전개도를 보고 ㉠면에 오는 모양을 찾아 ○표 하시오.

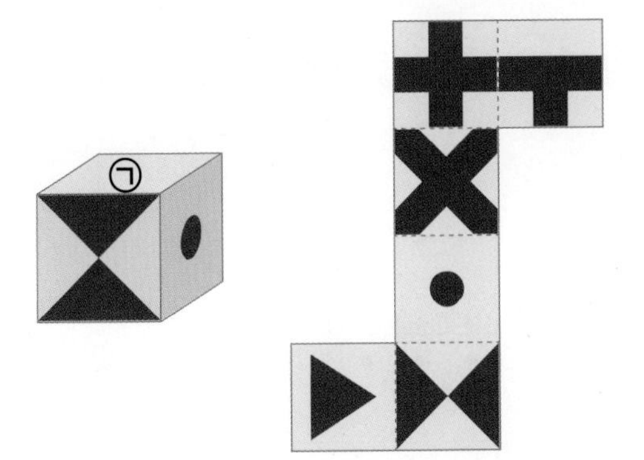

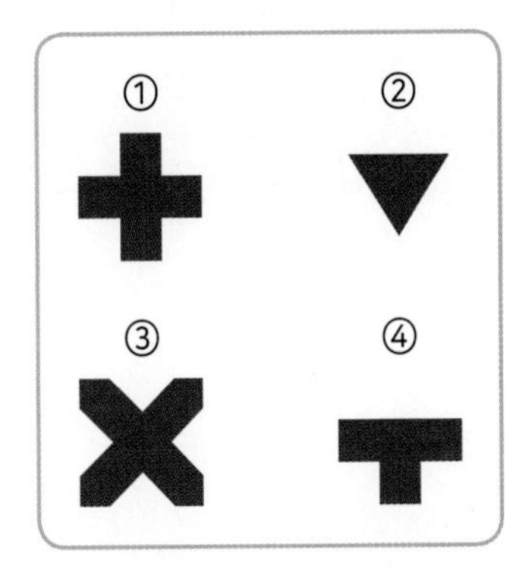

유형 2-2
입체도형의 세 면이 만나는 꼭짓점을 중심으로 시계 방향으로 도는 화살표를 그립니다. 그다음 같은 면을 같은 순서로 지나도록 전개도에 화살표를 그립니다.

접는 선

유형 2-2
모양이 그려져 있는 3면 중 두 면은 서로 마주보는 위치에 있습니다.

15 주사위 모양 입체도형의 3면에 3가지 모양을 하나씩 그렸습니다. 다음은 이 입체도형을 여러 방향으로 놓은 모양입니다.

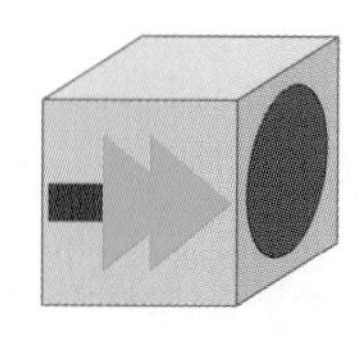
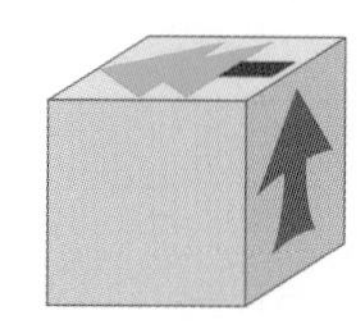

입체도형의 전개도에 ○표 하시오.

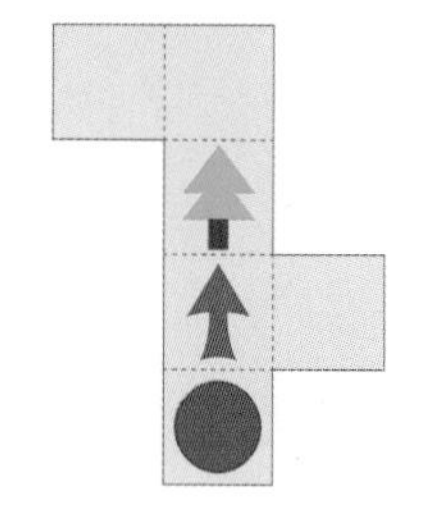
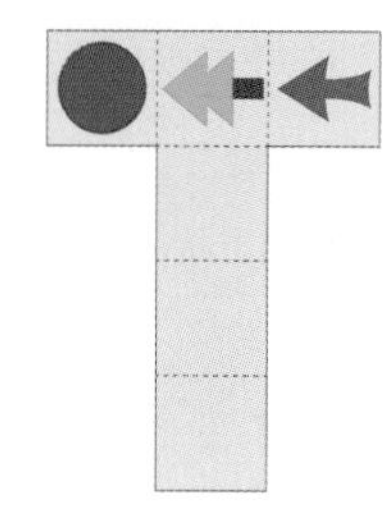
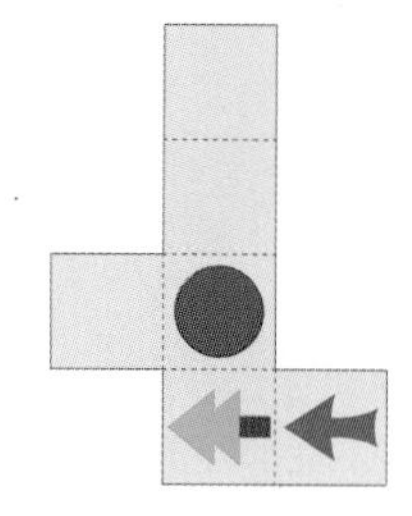
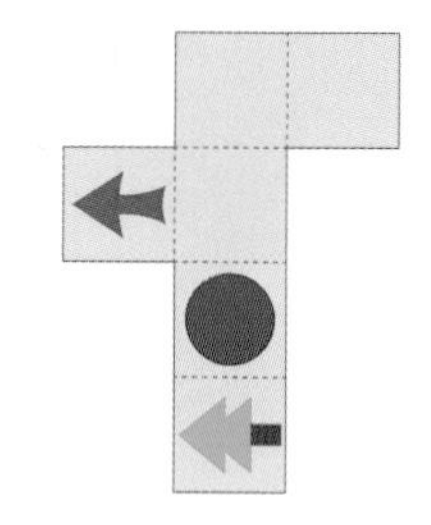

유형 2-2
눈의 수가 1, 3인 면과 한 꼭짓점에서 모이는 면은 어떤 것이 있는지 먼저 구합니다.

16 다음은 마주보는 면의 눈의 수의 합이 7이 아닌 불량 주사위의 전개도입니다.

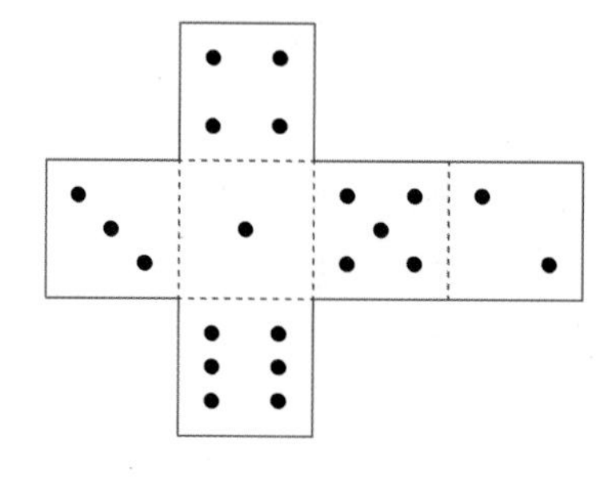

같은 주사위의 ㉠면의 눈의 수를 구하시오.

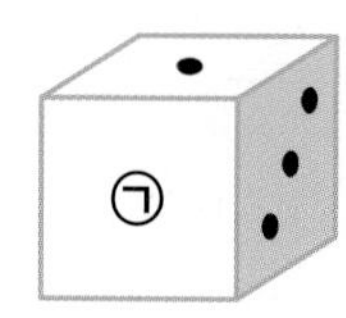

접는 선

예비 활동 가이드 정답 및 풀이

예비 활동 가이드

- 다양한 활동 방법 제시
- 예비 활동을 위한 활동 자료
- 본문의 이해을 돕는 예비 학습

정답 및 풀이

- 상세한 풀이 수록

사고력 수학

연산 / 입체

B4

초2 · 초3

천종현수학연구소

주사위 - 1.전개도와 주사위

주사위는 한 꼭짓점에 면이 3개씩 모입니다. 눈의 수가 1, 2, 3인 면이 한 꼭짓점에 모이는데 점을 중심으로 어느 방향으로 도는지에 따라 두 가지 주사위로 구분할 수 있습니다. 눈의 수가 1, 2인 면의 위치는 같지만 왼쪽 주사위는 눈의 수가 3인 면이 오른쪽에, 오른쪽 주사위는 눈의 수가 3인 면이 왼쪽에 있습니다.

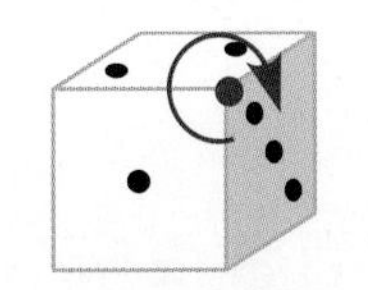
꼭짓점을 중심으로 시계 방향으로 돕니다.

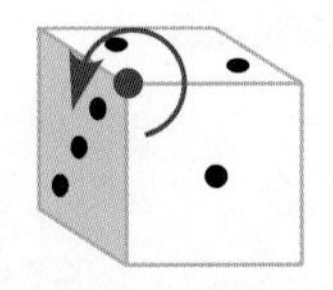
꼭짓점을 중심으로 시계 반대 방향으로 돕니다.

보이는 면이 1, 2, 3이 아니어도 1, 2, 3이 보이도록 돌려서 두 주사위를 구분할 수 있습니다.

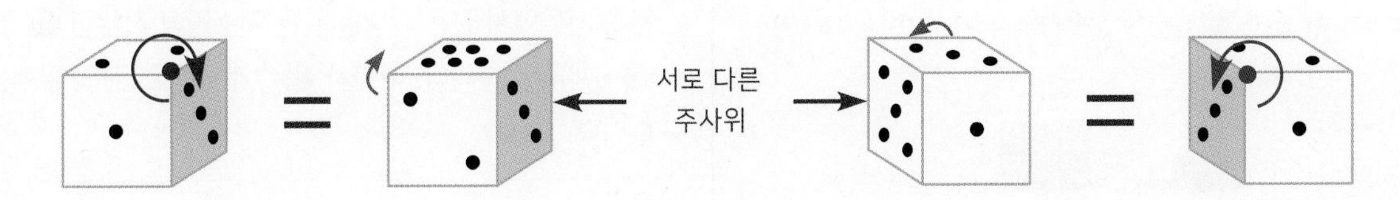

만나는 꼭짓점을 중심으로 시계 방향 순서대로 눈의 수가 1, 2, 3이면 **'시계 방향의 원리'**를 따른다고 하고 시계 반대 방향 순서대로 눈의 수가 1, 2, 3이면 **'반시계 방향의 원리'**를 따른다고 합니다. 주사위를 만들어 아래의 활동을 하고, 본문 문제가 어려울 경우 확인하는 용도로도 사용합시다.

두 개의 주사위

준비물 - 활동 자료 1, 풀

<활동 목표>

한 점에 모이는 세 면의 순서가 다른 주사위 2개가 있습니다. 전개도에 눈을 써넣고, 두 주사위를 비교합니다.

<활동 방법>

① 활동 자료 1의 주사위 전개도에서 마주 보는 면끼리 눈의 수의 합이 모두 7이 되도록 점을 색칠합니다.

② 주사위를 만들어서 여러 방향으로 돌려보고 위쪽 주사위와 같은 주사위에 선을 그어 연결합니다.

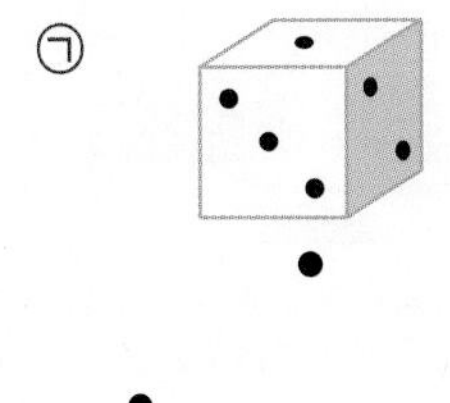
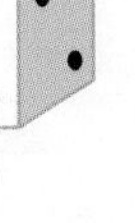
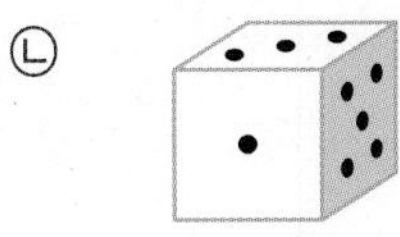
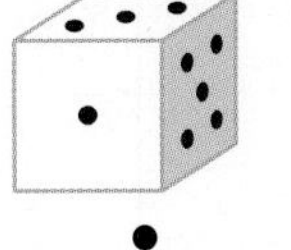
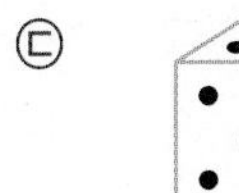

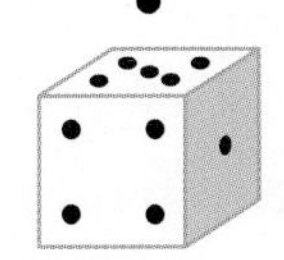
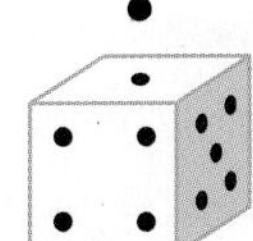
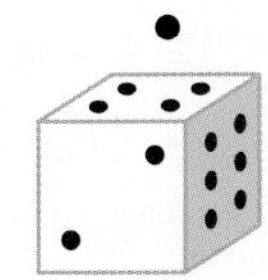
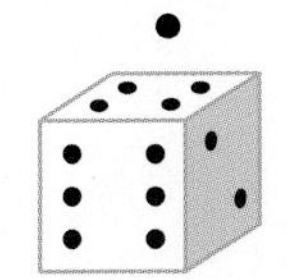
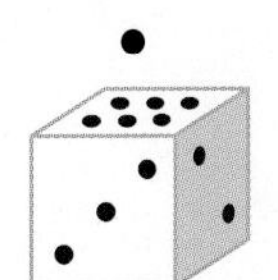
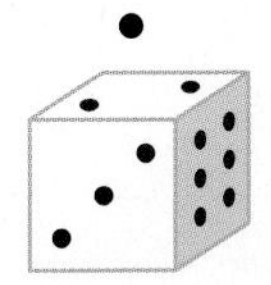

정답

1. 저울산

9쪽

양팔저울 평형 맞추기

두 양팔저울이 평형을 유지하도록 오른쪽 접시에 ▲와 ■를 각각 그리시오.

(1) (2)

왼쪽 양팔저울에서 ▲를 ■로 바꾸어 양팔저울이 평형을 오지하도록 오른쪽 접시에 ■를 그리시오.

10쪽

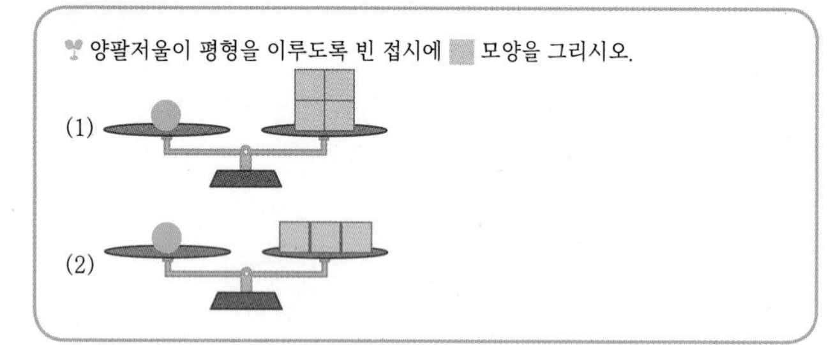

[풀이]

(1): ▲ 2개는 ★ 8개와 무게가 같기 때문에 ★ 8개는 ■ 4개와 무게가 같습니다.

(2): ● 1개는 ▲ 2개와 무게가 같기 때문에 ● 1개는 ■ 3개과 무게가 같습니다.

11쪽

양팔저울

탐구 유형 1-1 같은 것 내리기

[정답]

(1)  (2) 

[풀이]

왼쪽 저울에서 같은 과일을 같은 개수만큼 지우면 ● 3개와 ● 6개가 남습니다. 따라서 ● 1개와 ● 2개의 무게는 같습니다.

01

[정답] (1) 9 개 (2) 4 개 (3) 4 개

[풀이]

양팔저울의 두 접시에 있는 과일 중 같은 것을 같은 개수만큼 지우고 남은 것의 개수를 비교합니다.

(1) (1개)=(3개)

(2) (6개)=(3개) → (2개)=(1개)

(3) (3개)=(2개)

12쪽

탐구 유형 1-2 바꾸어 올리기

[정답] (1) 풀이 참고 (2) 2 (3) 3, 4 (4) 8

[풀이]

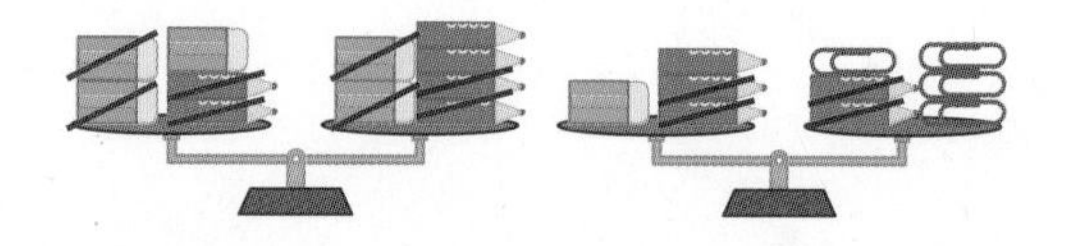

왼쪽 저울에서 (1개)=(2개)이므로

(1개 + 1개)=(4개)→(3개)=(4개)

3번째 저울에서 를 로 바꾸면 왼쪽 접시에는 가 6개 있기 때문에 오른쪽 접시에 8개를 올려야 합니다.

연습 01

[정답] 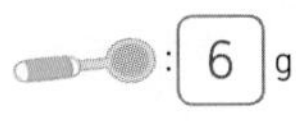 6 g  8 g

[풀이]
왼쪽 저울에서 양쪽 접시의 포크 1개를 지우고 비교하면
(숟가락 4개)=(포크 3개)
오른쪽 저울에서 포크 3개를 숟가락 4개로 바꾸면
(숟가락 6개)=36(g)이므로 (숟가락 1개)=6(g)이고
(포크 3개)=24(g)이므로 (포크 1개)=8(g)입니다.

13쪽

 02

[정답] (1) 6 (2) 5 (3) 4

[풀이]
(1) 두 번째 저울 : ▲▲= ★
첫 번째 저울 : ▲▲▲▲=▲▲■■■ → ▲▲=■■■
세 번째 저울 : ▲▲★=(▲▲)(▲▲)=(■■■)(■■■)

(2) 두 번째 저울: ★=▲■
첫 번째 저울 : 양쪽에서 ★을 한 개씩 지운 후 남은 ★을
▲■로 바꾸면 ▲▲▲=■■■★
→ ▲▲▲=■■■(▲■)
→ ▲▲=■■■■ → ▲=■■
세 번째 저울 : ▲★=(■■)(▲■)=■■■■■

(3) 첫 번째 저울 : ▲■=★★★
두 번째 저울 : ■■(★★★)=■■(▲■)=▲▲▲
→ ■■■=▲▲
세 번째 저울 : ▲(★★★)=▲(▲■)=■■■■

14쪽

 03

[정답]
 1 g  4 g  5 g

[풀이]
㉠+3=㉡이므로 두 번째 저울의 ㉡을 ㉠+3으로 바꾸면
(㉠ 2개)+3=㉢입니다. 마찬가지로 세 번째 저울의 ㉡, ㉢을 ㉠으로 바꾸면 ㉠+(㉠+3)+(㉠+㉠+3)=10(g)이므로
(㉠ 4개)+6=10(g)입니다. 따라서 ㉠=1(g)이고 이를 이용하면 ㉡=1+3=4(g), ㉢=1+4=5(g)입니다.

 04

[정답]
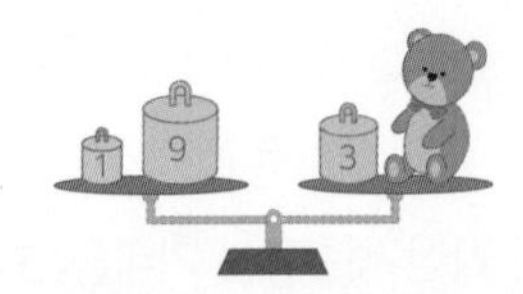

[풀이] 오른쪽 양팔저울을 보면 연필=2(g)임을 알 수 있습니다. 왼쪽 양팔저울에서 (연필 4개)=8(g)=인형+1(g)이므로 인형=7(g)입니다. 모든 추와 인형 무게의 합이 20 g이므로 양팔저울의 한 쪽 무게를 10 g으로 맞추어야 평형이 됩니다.

15쪽

탐구주제

탐구 유형 2-1 **바꾸어 넣어 해결하기1**

[정답] (1) 2 (2) 1 (3) 3송이

[풀이]
사과 4개와 포도 2송이의 가격이 같으므로 각각을 반으로 나누면 사과 2개와 포도 1송이의 가격이 같음을 알 수 있습니다.
(배 1개)=(사과 2개)+(포도 2송이)
=(포도 1송이)+(포도 2송이)=(포도 3송이)

 01

[정답] 150원

[풀이]
(사탕 4개)+(초콜릿 2개)=700(원)에서 초콜릿 2개를 사탕 3개로 바꾸면 사탕 7개는 700원이므로 사탕 1개는 100원입니다. 따라서 (사탕 3개)=300(원)=(초콜릿 2개)이므로 초콜릿 1개의 가격은 300원을 반으로 나눈 150원입니다.

17쪽

 02

[정답] 22분

[풀이] ㉠ 수도꼭지에서 1분 동안 나오는 물과 ㉡ 수도꼭지에서 3분동안 나오는 물의 양이 같으므로 이를 5배 하면 ㉠ 수도꼭지에서 5분 동안 나오는 물의 양은 ㉡ 수도꼭지에서 15분 동안 나오는 물의 양과 같습니다.
(㉠ 수도꼭지로 5분)+(㉡ 수도꼭지로 7분)
=(㉡ 수도꼭지로 15분)+(㉡ 수도꼭지로 7분)
=(㉡ 수도꼭지로 22분)

03

[정답] 17분

[풀이]
준서가 1분 동안 자전거로 가는 거리를 걸어가면 2분이 걸리므로 이를 7배하면 (자전거로 7분)=(걸어서 14분)입니다.
(자전거로 7분)+(걸어서 3분)=(걸어서 14분)+(걸어서 3분)
=(걸어서 17분)

04

[정답] 10개

[풀이]
(포크 8개의 길이)=(젓가락 6개의 길이)이므로 반으로 나누면
(포크 4개의 길이)=(젓가락 3개의 길이)입니다.
(식탁의 가로 길이)=(포크 6개의 길이)+(젓가락 9개의 길이)
=(포크 6개의 길이)+(포크 12개의 길이)
=(포크 18개의 길이)

식탁의 세로 길이는 포크 8개와 길이가 같으므로 가로 길이가 세로 길이보다 포크 10개의 길이만큼 더 깁니다.

18쪽

탐구 유형 2-2

[정답] (1) 10, 1, 2 / 5, 2, 1 (2) 10, 5, 4 (3) 5, 4 (4) 6자루
[풀이]
(공책 1권)=(연필 5자루)+(색연필 2자루)
=(색연필 4자루)+(색연필 2자루)
=(색연필 6자루)

01

[정답] 1개

[풀이]
(풀 4개)=(가위 2개)+(자 1개)
=(가위 2개)+(가위 1개)+(풀 1개)
=(가위 3개)+(풀 1개)

→ (풀 3개)=(가위 3개) → (풀 1개)=(가위 1개)

19쪽

02

[정답] 2마리

[풀이]
(소 3마리)=(말 1마리)+(코끼리 1마리)
=(말 1마리)+(소 2마리)+(말 1마리)
=(말 2마리)+(소 2마리)

→ (소 1마리)=(말 2마리)

03

[정답] 8살

[풀이]
첫째 나이를 ㉠, 둘째 나이를 ㉡, 셋째 나이를 ㉢이라 하면
㉢+㉢+㉢+㉢+㉢+㉢+~~㉢~~
=㉠+㉠+㉡+㉡=㉡+㉡+~~㉢~~+㉡+㉡
셋째 나이의 6배는 둘째 나이의 4배와 같으므로 셋째 나이의 3배는 둘째 나이의 2배와 같습니다.
㉠+㉠=㉡+㉡+㉢=㉢+㉢+㉢+㉢ → ㉠=㉢+㉢
즉, 첫째 나이는 셋째 나이의 2배입니다. 따라서 셋째가 4살일 때 첫째는 8살입니다.

04

[정답] 3상자

[풀이]
(복숭아 8상자)=(사과 4상자)+(배 1상자)
=(배 2상자)+(복숭아 2상자)+(배 1상자)
=(배 3상자)+(복숭아 2상자)

→ (복숭아 6상자)=(배 3상자) → (복숭아 2상자)=(배 1상자)

(사과 4상자)=(배 2상자)+(복숭아 2상자)
=(복숭아 4상자)+(복숭아 2상자)
=(복숭아 6상자)

→ (사과 2상자)=(복숭아 3상자)

20쪽

탐구 유형 2-3 **식과 식 더하기**

[정답] (1) 27 (2) 9 (3) 4, 5

[풀이]

● 3개와 ● 3개의 무게의 합이 27 g(=3×9)이므로 ● 1개와 ● 1개의 무게의 합은 9 g입니다.

13(g)= ● + (● + ●) = ● + 9(g)이므로 ●=4(g)이고 ●=5(g)입니다.

01

[정답] 600원

[풀이]

(연필 3자루)+(색연필 3자루)=1800(원)(=3×600)

→ (연필 1자루)+(색연필 1자루)=600(원)

(연필 1자루)+(연필 1자루)+(색연필 1자루)=800(원)

→ (연필 1자루)+600=800(원)

따라서 연필 1자루는 200원이므로 3자루는 600원입니다.

21쪽

02

[정답] 7

[풀이]

㉠+㉠+㉠+㉡+㉡=19, ㉠+㉠+㉡+㉡+㉡=16이므로 ㉠과 ㉡을 모두 더하면 ㉠과 ㉡이 각각 5개씩 있으므로

㉠+㉠+㉠+㉠+㉠+㉡+㉡+㉡+㉡+㉡=35(=7×5)

→ ㉠+㉡=7

03

[정답] 500원

[풀이]

과자와 사탕을 모두 더하면 과자 4개와 사탕 4개의 값은 2400원입니다. 2400=4×600(원)이므로 과자 1개와 사탕 1개의 값은 600원이 됩니다. 과자 3개와 사탕 1개의 값이 1600원이므로 과자 1개와 사탕 1개의 값 만큼을 600원으로 바꾸면 (과자 2개의 값)+600=1600(원)이므로 과자 2개의 값은 1000원입니다. 따라서 과자 1개의 값은 500원입니다.

22쪽

탐구 유형 3-1 **여러 가지 저울**

[정답]

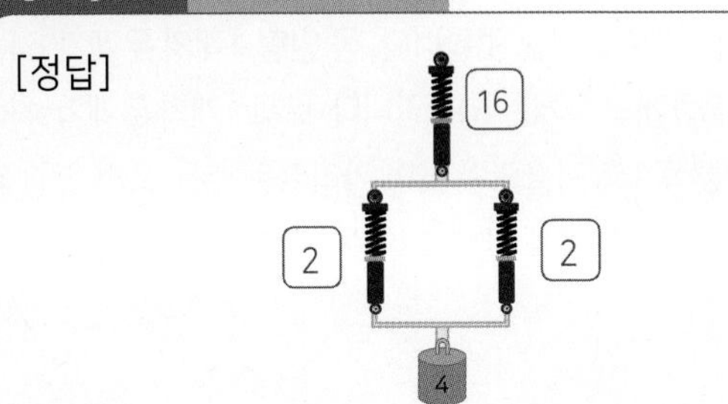

[풀이]

중간에 있는 용수철 저울 2개는 4 g의 추의 무게를 나누어 가지게 되므로 눈금이 2 g을 각각 가리킵니다. 가장 위에 있는 용수철 저울 아래에는 용수철 2개와 추 1개가 달려 있습니다. 따라서 가장 위에 있는 용수철이 가리키는 눈금의 수는 4(추의 무게) + 12(용수철 2개의 무게) = 16입니다.

01

[정답] 5, 8

[풀이]

두 번째 줄에 용수철이 2개 있기 때문에 두 용수철이 가리키는 눈금의 수는 추의 무게의 절반입니다. 추의 무게는 8 g입니다. 첫 번째 줄에도 용수철이 2개 있고, 두 용수철이 가리키는 눈금의 수는 추 1개, 용수철 2개의 무게를 합한 것의 절반입니다. 따라서 9 = (추 1개 무게의 절반) + (용수철 1개의 무게)이고, 용수철 1개의 무게 = 9 - 4 = 5(g)입니다.

23쪽

02

[정답] 26 kg

[풀이]

첫 번째, 두 번째 저울의 눈금의 수의 합과 저울 위의 막대의 수의 합을 비교하면 (㉠ + ㉡ + ㉢) + ㉡ = 18 + 16 = 34이고 세 번째 저울의 눈금의 수의 합과 저울 위의 막대의 수의 합을 비교하면 ㉠ + ㉡ + ㉢ = 30입니다. 따라서

(㉠ + ㉡ + ㉢) + ㉡ = 30 + ㉡ = 34→ ㉡ = 4

㉠ + ㉡ + ㉢ = (㉠ + ㉢) + ㉡ = 30→ ㉠ + ㉢ = 30 - 4 = 26

03
[정답] 5, 5

[풀이]
왼쪽 1층 저울의 눈금이 가리키는 수는 곰 인형과 저울 1개의 무게의 합을 반으로 나눈 것입니다. 곰 인형 1개의 무게가 6 kg이므로 저울 1개의 무게는 6 kg입니다. 토끼 1개의 무게가 4 kg이므로 오른쪽 1층 저울의 눈금이 가리키는 수는 토끼 인형 과 저울 1개의 무게의 합을 반으로 나눈 5 kg입니다.

24쪽

TOP 사고력

01
[정답] 9

[풀이]
왼쪽 그림에서 같은 색의 컵을 지우면 =이 됩니다. 오른쪽 그림에서 를 로 바꾸면 =30(g)입니다. 따라서 =6(g)이고 하늘색 컵 세 개의 무게는 빨간색 컵 2개와 같으므로 =18(g)이고 빨간색 컵 1개의 무게는 9 g입니다.

02
[정답] (1) 3번 (2) 21번

[풀이]
(1) 그림의 양쪽에서 같은 컵을 지우면 작은 컵 3개와 큰 컵 1개가 같음을 알 수 있습니다.

(2) 물통을 채우려면 큰 컵 4번, 작은 컵 9번으로 채워야 하는데 큰 컵 1번은 작은 컵 3번과 같으므로 큰 컵 4번은 작은 컵 12번과 같습니다. 따라서 12+9=21(번)입니다.

25쪽

03
[정답] (1) 3, 2 (2) 4, 3

[풀이]
양쪽에 추가 걸린 눈금의 수와 추의 무게를 곱한 값의 합을 비교하는 식을 세웁니다.

(1) ▮×6+▮×5=7×4=28이고, 28-5-5=18이므로 ▮=2(g)일 때 ▮×5=10이고 ▮×6=28-10=18→▮=3입니다.

(2) ▮×7+▮×4=8×5=40이고, 40-4-4-4=28이므로 ▮=3(g)일 때 ▮×4=12이고 ▮×7=40-12=28→▮=4입니다.

04
[정답] 10살

[풀이]
첫째+둘째=17, 둘째+셋째=10, 첫째+셋째=13이므로 이를 모두 더하면 첫째+첫째+둘째+둘째+셋째+셋째=40입니다. 각각 두 번씩 더해진 것이므로 반으로 나누면
첫째+둘째+셋째=20(살)임을 알 수 있습니다. 둘째와 셋째의 나이의 합은 10이므로 첫째의 나이는 10살입니다.

2. 여러 가지 배수 관계

27쪽

빵 만들기

제빵사 1명이 1시간 동안 빵 몇 개를 만들 수 있습니까?

5개

제빵사 7명이 1시간 동안 빵 몇 개를 만드는지 구하시오.

35개

[풀이]
4×5=20이므로 한 시간 동안 제빵사 1명당 5개의 빵을 만들 수 있습니다. 7명의 제빵사가 만들면 35(=7×5)개의 빵을 한 시간 동안 만들 수 있습니다.

28쪽

4명이 하루에 장난감 4개를 만듭니다.

(1) 같은 속도로 8명이 하루에 만드는 장난감 개수를 구하시오.

8개

(2) 같은 속도로 몇 명이 하루에 장난감 9개를 만드는지 구하시오.

9명

[풀이]
(1) 1명이 하루에 장난감 1개를 만들 수 있으므로 8명이 만들면 하루에 8개의 장난감을 만들 수 있습니다.

(2) 하루에 9개의 장난감을 만들기 위해서 9명이 필요합니다.

수도꼭지 3개를 20분 동안 틀어놓으면 물 12 L가 나옵니다.

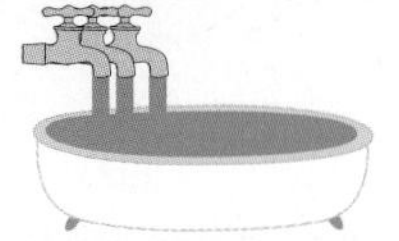

수도꼭지 몇 개를 20분 동안 틀면 32 L 용량의 욕조가 가득 차는지 구하시오.

8개

[풀이]

12=3×4이므로 수도꼭지 1개를 20분 동안 틀어놓으면 4 L의 물이 나옵니다. 32(=8×4)L를 채우기 위해서는 8개의 수도꼭지를 20분 동안 틀어야 합니다.

29쪽

1 시간과 거리

연필 2개의 길이는 바둑돌 몇 개의 길이와 같습니까?

7개

바둑돌로 연필의 길이를 나타내려고 합니다. 바둑돌을 쪼개지 않고 한 줄로 이어붙여 연필 1개의 길이와 같게 만들 수 있습니까?

만들 수 없습니다.

연필 2개씩 연속해서 연결합니다.

연필 2개씩 몇 번 연결해야 나무막대 1개의 길이와 같아집니까?

5번

나무막대 1개는 연필 몇 개의 길이와 같은지 구하시오.

10개

[풀이]

연필 4개의 길이는 바둑돌 14개의 길이와 같으므로 이를 반으로 나누어 생각하면 연필 2개의 길이는 바둑돌 7개의 길이와 같습니다. 그런데 7개는 다시 반으로 나눌 수 없으므로 연필 1개의 길이를 바둑돌로 표현할 수 없습니다.
나무막대 1개는 바둑돌 35(=7×5)개의 길이와 같으므로 연필 2개짜리를 5번 연결해야 합니다. 따라서 연필은 10개 필요합니다.

30쪽

탐구 유형 1-1 단위 시간

[정답] (1) 4분 (2) 7 (3) 28분

[풀이]

예진이가 문제 푸는 시간을 반으로 나누어 생각하면 4분 동안 5개의 문제를 푼다고 볼 수 있습니다. 35개의 문제를 풀기 위해서는 5문제씩 7번 풀어야 하므로 걸리는 시간은 4×7=28(분)입니다.

연습 01

[정답] 14칸

[풀이]

동생이 계단을 6칸 오르는 것은 2칸씩 3번 오르는 것이고 형이 21칸을 오르는 것은 7칸씩 3번 오르는 것으로 생각하면 한 번에 동생이 2칸 오를 때 형은 7칸을 오르는 것을 알 수 있습니다. 따라서 형이 계단 49(=7×7)칸을 오를 때, 동생은 14(=2×7)칸을 오릅니다.

연습 02

[정답] 20쪽

[풀이]

18분 동안 책을 8쪽 읽을 수 있으므로 9분 동안 4쪽을 읽습니다. 45분은 9분이 5번 지난 것으로 생각하면 4쪽을 5번 읽을 수 있으므로 20쪽을 읽게 됩니다.

31쪽

탐구 유형 1-2 산책길의 길이

[정답] (1) 80 m (2) 5배 (3) 5분

[풀이]

(1) 두 학생이 마주보는 방향으로 각각 1분에 50 m씩, 30 m씩을 걸어가므로 거리는 80(=50+30)m씩 가까워집니다.
(2) 산책길은 400(=80×5)m이므로 5배입니다.
(3) 80 m씩 5번 가까워져야 하므로 5분 후에 만납니다.

01

[정답] 45 cm

[풀이]
두 색깔의 띠를 1개씩 연결한 길이는 9 cm 입니다. 따라서 전체 띠의 길이는 9×5=45 cm입니다.

32쪽

02

[정답] 16분

[풀이]
두 학생이 서로 반대 방향으로 걷기 때문에 2분에 70 m씩 가까워집니다. 560 m는 70 m를 8번 걷는 것으로 생각할 수 있으므로 16(=2×8)분 후에 두 사람이 만납니다.

03

[정답] 40분

[풀이]
위 쪽에 있는 연수는 내려가고 아래 쪽에 있는 지민이는 올라가고 있으므로 5분에 8층씩 가까워집니다. 8층씩 8번 오르면 64층이 되므로 40(=5×8)분 후에 두 사람이 만날 수 있습니다.

04

[정답] 16년

[풀이]
토끼와 사슴의 마릿수는 처음 9마리와 2년에 8번 늘어난 72마리를 더해 모두 81마리입니다. 2년이 8번 지나면 16년 후가 되기 때문에 81마리가 되는 해는 16(=2×8)년 후입니다.

33쪽

탐구 유형 1-3 빵의 개수

[정답] (1) 2개 (2) 10개 (3) 10개

[풀이]
(1) 10분 동안 만든 빵보다 팔린 빵이 2개 더 많습니다.
(2) 50분은 10분이 5번 지난 것이므로 10(=2×5)개입니다.
(3) 50분동안 빵 50개가 줄기 때문에 처음에 있던 빵의 개수는 10개입니다.

01

[정답] 30 L

[풀이]
1분에 물이 4 L씩 새기 때문에 2분에 물이 8 L씩 샙니다. 2분마다 새는 물의 양이 같은 시간동안 채우는 물의 양보다 3 L 많기 때문에 20분이 지나면 물의 양은 처음보다 30 L 줄어듭니다.

02

[정답] 10개

[풀이]
사과 2개는 400원이므로 900원에 팔면 500원을 벌 수 있습니다. 2500원을 벌기 위해서는 이 과정을 다섯 번 해야하므로 10개의 사과를 팔아야 합니다.

34쪽

탐구 유형 2-1 과수원 나무의 수

[정답] (1) 3개 (2) 4배 (3) 8, 24

[풀이]

(1) 배나무의 수는 사과나무의 3배이므로 사과나무가 1칸일 때 배나무는 3칸으로 표현할 수 있습니다.
(2) 과수원의 나무의 수는 사과나무의 수와 배나무의 수를 모두 더한 값이므로 사과나무의 4배입니다.
(3) 과수원의 나무의 수가 32(=4×8)그루이므로 사과나무는 8그루, 배나무는 사과나무의 3배인 24그루입니다.

01

[정답] 24개

[풀이]
고기만두의 개수는 김치만두의 4배이므로 전체 만두의 개수는 김치만두의 5배입니다. 만두의 총 개수는 30(=5×6)개이므로 김치만두의 개수는 6개, 고기만두의 개수는 24개입니다.

02

[정답] 42마리

[풀이]
노란색 금붕어의 수가 빨간색 금붕어의 6배이므로 금붕어의 전체 수는 빨간색 금붕어의 7배입니다. 어항에 있는 금붕어의 총 마릿수가 49(=7×7)마리이므로 빨간색 금붕어는 7마리, 노란색 금붕어는 42마리가 있습니다.

35쪽

탐구 유형 2-2 **빨간 장미, 노란 장미**

[정답] (1) 2송이 (2) 6개 (3) 18송이

[풀이]
(1) 꽃다발을 1개 만들 때마다 빨간 장미는 1개가 필요하고 노란 장미는 3개가 필요하므로 노란 장미는 2개씩 더 많아집니다.
(2) 노란 장미가 12(=2×6)송이 더 많으므로 꽃다발의 개수는 6개입니다.
(3) 꽃다발이 6개이므로 노란 장미는 6×3=18(송이)입니다.

01

[정답] 30개

[풀이]
각 묶음에서 식빵이 팥빵보다 4개가 더 많은데 전체에서 식빵이 24개 더 많으므로 묶음의 개수는 6개임을 알 수 있습니다. 따라서 식빵의 개수는 6×5=30(개)입니다.

36쪽

02

[정답] 24 kg

[풀이]
곰 인형과 토끼 인형의 무게 차이는 그림의 추의 무게(16 kg)와 같습니다. 곰 인형의 무게는 토끼 인형의 3배이므로 두 인형의 무게 차이는 토끼 인형 무게의 2배입니다.
2×(토끼 인형 무게)=16(kg)이므로 토끼 인형 1개의 무게는 8 kg입니다. 따라서 곰 인형의 무게는 24(=3×8) kg입니다.

03

[정답] 2000원

[풀이]
두 동전의 금액 차이는 400원인데 빨간색 저금통에 1600(=400×4)원이 더 들어 있으므로 500원짜리 동전이 4개 들어 있음을 알 수 있습니다. 따라서 빨간색 저금통에 들어 있는 금액은 500×4=2000(원)입니다.

37쪽

탐구 유형 2-3 **고모의 나이**

[정답] (1) 30살 (2) 5배 (3) 24살 (4) 29살

[풀이]
(1) 5년 전의 나이는 두 사람의 현재 나이에서 각각 5를 뺀 나이이므로 30(=40-5-5)살입니다.
(2) 5년 전 고모의 나이는 수진이 나이의 4배였으므로 수진이 나이와 합하면 수진이 나이의 5배가 됩니다.
(3) 5×(5년 전 수진이 나이)=30
→ (5년 전 수진이 나이)=6(살)
(5년 전 고모의 나이)=4×(5년 전 수진이 나이)=24(살)
(4) 5년 전 나이보다 5살 더 많습니다.

01

[정답] 33살

[풀이]
엄마의 나이는 딸의 나이의 3배보다 6살 더 많으므로 엄마의 나이에서 6을 빼고 생각하면
(딸의 나이)+(엄마의 나이)-6=4×(딸의 나이)-6=42-6=36(살)
이므로 딸의 나이는 9살입니다. 따라서 엄마의 나이는 9×3+6=33(살)입니다.

02

[정답] 28살

[풀이]
이모의 나이는 조카 나이의 4배 보다 4살 더 적으므로 4를 더하여 생각하면
(이모 나이)+(조카 나이)+4=5×(조카 나이)+4=36+4=40(살)
이므로 조카의 나이는 8살입니다. 따라서 이모의 나이는 8×4-4=28(살)입니다.

38쪽

03

[정답] 23살

[풀이]
4년 후에는 규성이의 나이는 9살이고 삼촌의 나이는 규성이 나이의 3배이므로 27살입니다. 따라서 올해 삼촌의 나이는 23살입니다.

04

[정답] 28살

[풀이]
2년 후에는 세 사람의 나이의 합이 30이므로 올해 세 사람의 나이의 합은 각자의 나이에서 2를 뺀 24(=30-2-2-2)입니다. 올해에는 세 사람의 나이의 합이 재우 삼촌의 나이보다 4살 적기 때문에 세 사람의 나이의 합에 4를 더하면 재우 삼촌의 나이가 됩니다. (올해 삼촌의 나이)=24+4=28(살)

05

[정답] 2살

[풀이]
내년에는 세 사람의 나이의 합이 40살입니다. 내년 유리와 유리 언니 나이의 합에 5배를 하면 세 사람의 나이의 합이 됩니다. 따라서 내년에 유리와 유리 언니의 나이의 합은 8살입니다. 올해 두 사람의 나이의 합은 6살이므로 유리의 나이는 2살입니다.

39쪽

탐구주제 3 조건 2개인 배수관계

고양이 2마리가 2시간 동안 쥐 4마리를 잡습니다. 고양이 2마리가 1시간 동안 잡는 쥐의 수, 고양이 1마리가 2시간 동안 잡는 쥐의 수를 각각 구하시오.

고양이 2마리가 1시간 동안 잡는 쥐의 수 : 2마리
고양이 1마리가 2시간 동안 잡는 쥐의 수 : 2마리

고양이 1마리가 1시간에 쥐를 몇 마리 잡는지 구하시오. 1마리

고양이 4마리가 1시간 동안 잡는 쥐의 수, 고양이 1마리가 4시간 동안 잡는 쥐의 수를 각각 구하시오.

고양이 4마리가 1시간 동안 잡는 쥐의 수 : 4마리
고양이 1마리가 4시간 동안 잡는 쥐의 수 : 4마리

고양이 4마리가 4시간 동안 잡는 쥐의 수를 구하시오. 16마리

[풀이]
고양이 수가 ㉠배 되면 잡는 쥐의 수도 ㉠배되고, 시간이 ㉡배 되면 잡는 쥐의 수도 ㉡배 됩니다. 둘 다 늘어나면 잡는 쥐의 수가 ㉠×㉡배만큼 늘어납니다.

과수원에서 2명이 2분 동안 딸기 8개를 땄습니다. 5명이 4분 동안 같은 속력으로 딸기를 따면 몇 개를 딸 수 있는지 구하시오. 40개

[풀이]
1명이 2분 동안 4개의 딸기를 딸 수 있고 4분 동안 8개의 딸기를 딸 수 있습니다. 여기에 사람 수가 5명이 되면 딸수 있는 딸기도 5배 되므로 5×8=40(개)의 딸기를 딸 수 있습니다.

40쪽

탐구 유형 3-1 종이학 접기

[정답] (1) 6개 (2) 2개 (3) 8개 (4) 56개

[풀이]
(1) 접는 시간이 절반이 되면 만들 수 있는 학의 개수도 절반이 되므로 3명이 1분 동안 6개를 접을 수 있습니다.

(2) (1)에서 구한 것을 이용하면 3명이 1분 동안 6개를 접은 것은 1명당 2개를 접은 것임을 알 수 있습니다.

(3) (2)에서 구한 것을 이용하면 사람 수가 4배가 되었으므로 종이학의 개수도 4배가 되어 8개를 접을 수 있습니다.

(4) (3)에서 구한 것을 이용하면 시간이 7배가 되었으므로 종이학의 개수도 7배가 되어 56개를 접을 수 있습니다.

01

[정답] 12개

[풀이]
45=5×9이므로 군고구마통 1개로 3시간 동안 9개의 군고구마를 만들 수 있고, 9=3×3이므로 군고구마통 1개로 1시간 동안 3개의 군고구마를 만들 수 있습니다. 군고구마통 2개로 2시간 동안 만들 수 있는 군고구마는 그 4배인 12개입니다.

41쪽

02

[정답] 36만원

[풀이]

40=4×10이므로 1명이 5일 동안 일하면 10만원을 받고 10=5×2이므로 1명이 1일 동안 일하면 2만원을 받습니다. 9명이 2일 동안 일하면 받는 금액은 9×2=18(배)가 되므로 2×18=36(만원)을 받을 수 있습니다.

03

[정답] 2일

[풀이]

24=4×6이므로 농부 1명이 3일 동안 쌀 6포대를 수확할 수 있고 6=3×2이므로 농부 1명이 하루에 쌀 2포대를 수확할 수 있습니다. 농부 6명이 1일 동안 쌀 12포대를 수확할 수 있으므로 24포대를 수확하려면 2일 동안 일해야 합니다.

04

[정답] 5마리

[풀이]

36=9×4이므로 햄스터 1마리가 2일 동안 사료 4봉지를 먹고 1마리가 1일 동안 사료 2봉지를 먹습니다. 햄스터 1마리가 3일 동안 먹는 양은 사료 6봉지이므로 사료 30(=6×5)봉지를 먹으려면 햄스터가 5마리 있어야합니다.

42쪽

TOP 사고력

01

[정답] 210 m

[풀이]

4분 동안 두 사람 사이의 거리는 120 m 가까워졌습니다. 따라서 120=4×30이므로 두 사람은 1분 동안 30 m만큼 가까워지는 속력으로 이동하고 있습니다. 두 사람이 만나는 데 7분이 걸렸기 때문에 움직인 거리는 7×30=210(m)입니다.

02

[정답] 12살

[풀이]

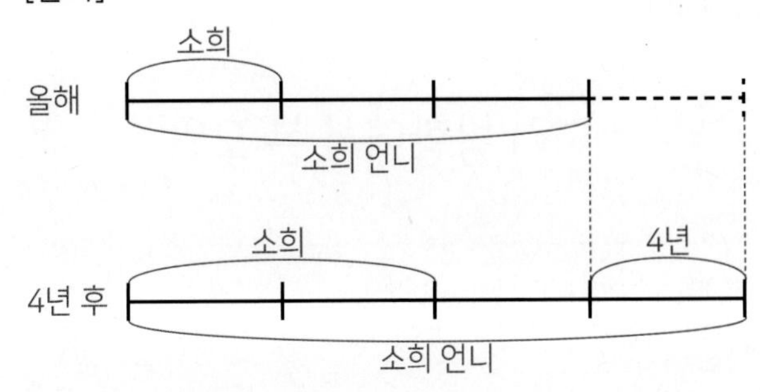

올해 소희 나이를 눈금 하나로 나타내면 4년 후 두 사람의 나이는 눈금 하나만큼 늘어납니다. 따라서 올해 소희의 나이는 4살이고, 같은 해 언니의 나이는 그 3배인 12살입니다.

43쪽

03

[정답] 240만원

[풀이]

120=3×40이므로 3명이 6일 동안 40만원을 받고 40=2×20이므로 3명이 3일 동안 20만원을 받습니다. 12명은 3명의 4배이고 9일은 3일의 3배이므로 받는 금액은 4×3=12(배)입니다. 따라서 12명이 9일 동안 12×20=240(만원)을 받습니다.

04

[정답] 6살

[풀이]

올해 예빈이의 나이를 눈금 하나로 표시합니다. 예빈이가 24살이 되는 해의 예빈이 이모의 나이는 눈금 7개로 표시할 수 있습니다.

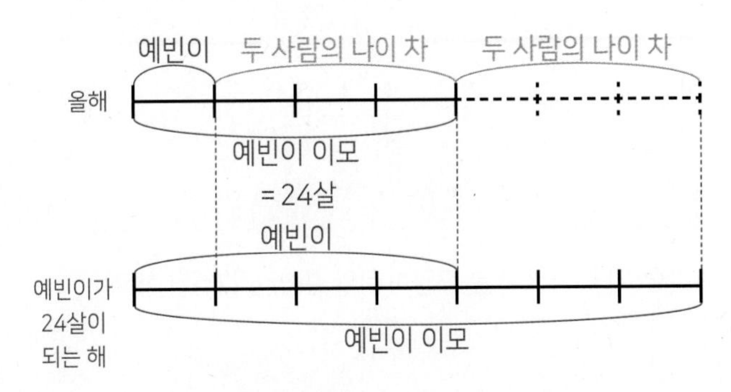

예빈이와 이모의 나이 차만큼 시간이 지나야 예빈이가 올해 이모의 나이가 되므로 올해 예빈이 이모의 나이는 같은 해 예빈이 나이의 4배입니다. 4 × 6 = 24이므로 올해 예빈이의 나이는 6살입니다.

3. 쌓기나무

45쪽

생각열기

여러 방향에서 본 모양

표 밖의 수는 화살표가 가리키는 방향에서 쌓기나무를 보았을 때 그 줄에서 보이는 쌓기나무 색깔의 개수를 나타낸 것입니다. □ 안에 알맞은 개수를 써넣으시오.

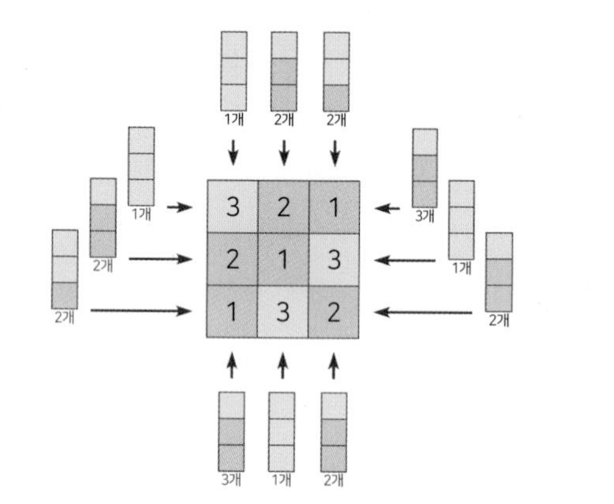

46쪽

표 밖의 수는 화살표가 가리키는 방향에서 쌓기나무를 보았을 때 그 줄에서 보이는 쌓기나무 색깔의 개수를 나타낸 것입니다. □ 안에 알맞은 개수를 써넣으시오.

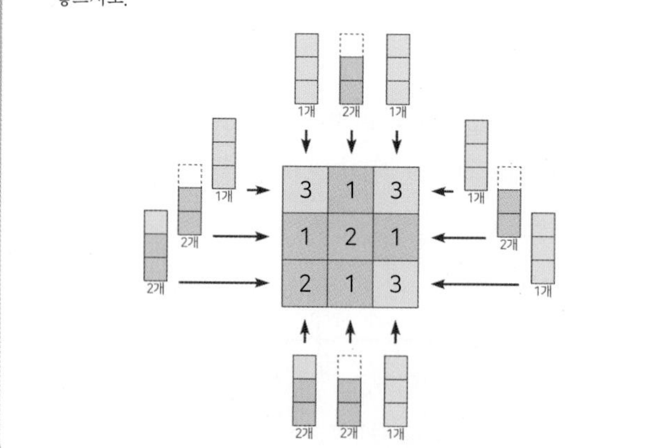

[풀이] 각 줄에서 본 모양이 위와 같습니다.(정답 참고)

47쪽

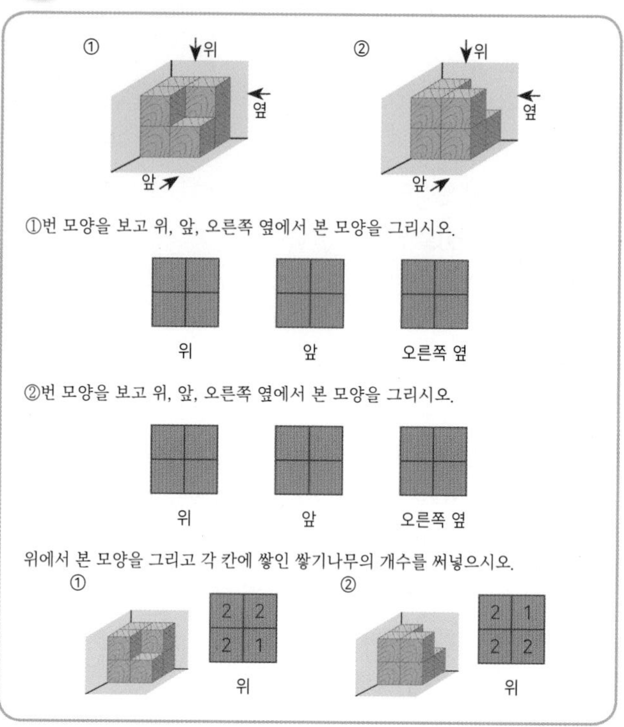

①번 모양을 보고 위, 앞, 오른쪽 옆에서 본 모양을 그리시오.

②번 모양을 보고 위, 앞, 오른쪽 옆에서 본 모양을 그리시오.

위에서 본 모양을 그리고 각 칸에 쌓인 쌓기나무의 개수를 써넣으시오.

48쪽

위에서 본 모양을 그리고 각 칸에 쌓인 쌓기나무의 층수를 써넣고, 전체 쌓기나무의 개수를 구하시오.

(1) 위 / 옆 / 앞

2	2	1
1	1	
1		

위

8 개

(2) 위 / 옆 / 앞

1	3	2
1	1	2
1	1	1

위

13 개

49쪽

탐구 유형1-1 여러 방향에서 본 모양

[정답]

[풀이]
각 줄에서 보았을 때, 모양의 층수는 그 줄에서 가장 높은 쌓기나무의 층수와 같습니다.

50쪽

01
[정답]

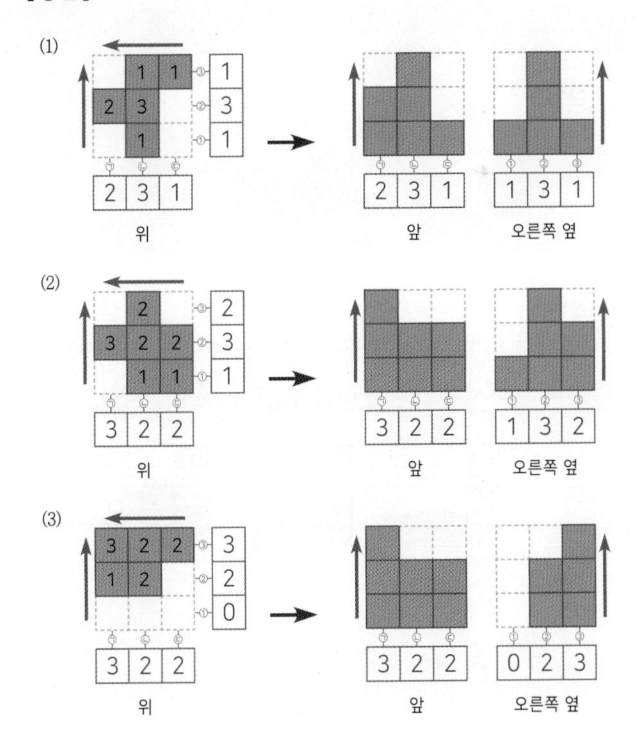

[풀이]
각 줄에서 보았을 때, 모양의 층수는 그 줄에서 가장 높은 쌓기나무의 층수와 같습니다.

51쪽

02
[정답] ⑤

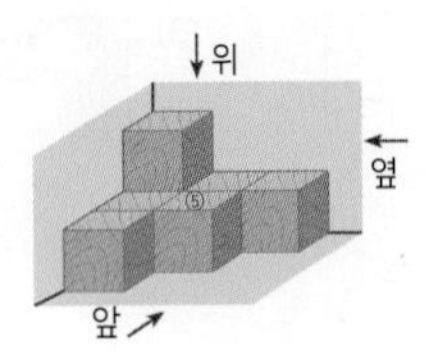

[풀이]
ⓒ줄, ②줄이 1층에서 2층이 되려면 두 줄이 만나는 칸에 쌓기나무 1개를 더 놓아야 합니다.

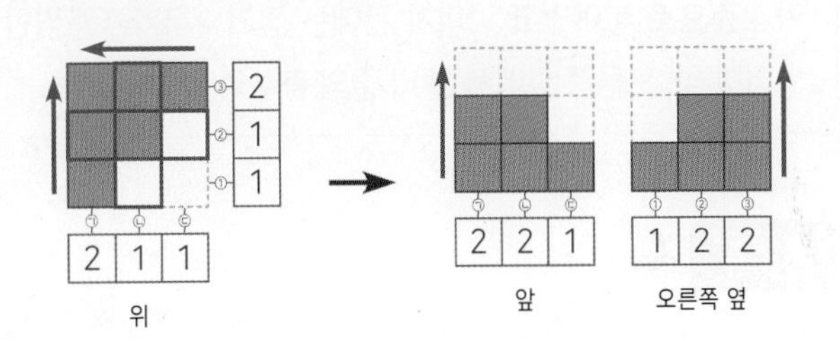

03
[정답] ④

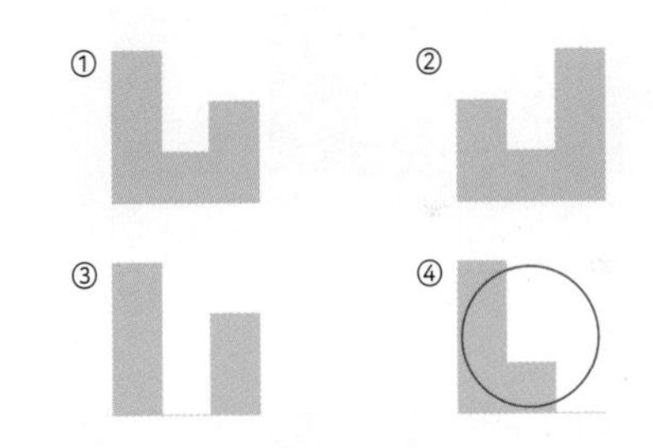

[풀이]

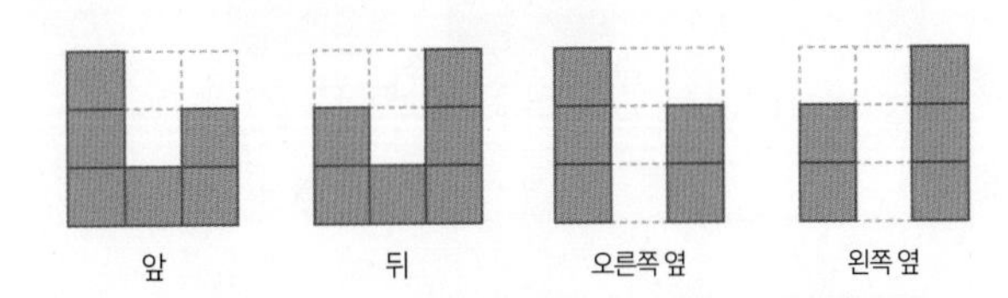

옆에서 봤을 때 가운데 줄에는 쌓기나무가 놓인 칸이 없습니다.

52쪽

탐구 유형 1-2 쌓기나무의 개수

[정답]

(1), (2)

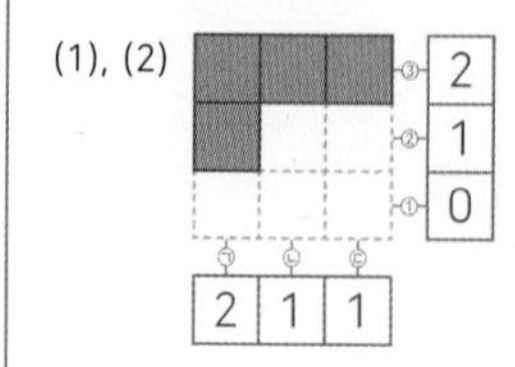

(3)

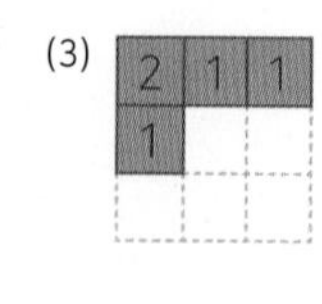

(4) 5개

[풀이]

위에서 본 모양에서 ㉠줄과 ③줄이 만나는 칸에만 쌓기나무가 2층으로 쌓여있고 나머지 칸에는 쌓기나무가 1층씩만 있어야 앞, 오른쪽 옆에서 본 각 줄의 층수와 일치합니다.

53쪽

01

[정답]

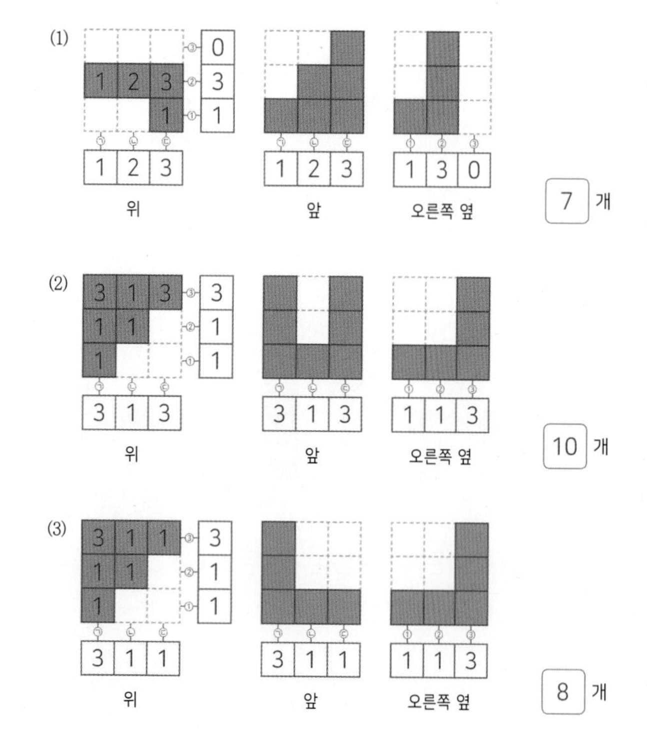

[풀이]

앞이나 오른쪽 옆에서 봤을 때 각 줄의 쌓기나무가 몇 층으로 보이는지 생각합니다. 1층으로 보이는 줄의 칸에는 쌓기나무가 1층씩 있습니다. 2층이나 3층으로 보이는 줄에는 쌓기나무가 2층, 또는 3층으로 쌓인 칸이 적어도 1개 있습니다.

54쪽

02

[정답]

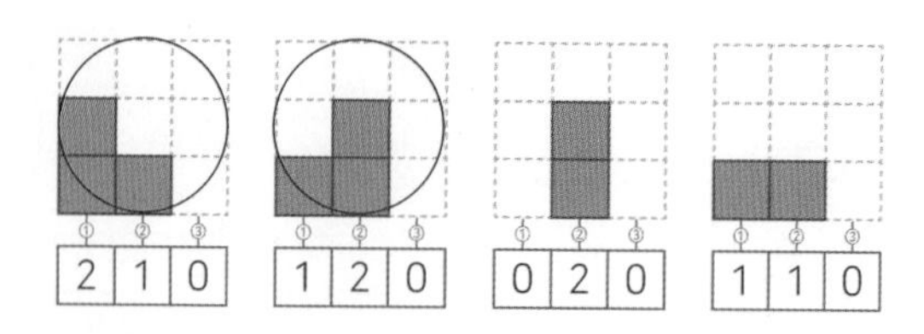

[풀이]

㉠줄에서 쌓기나무가 2층으로 보이기 때문에 ㉠줄과 ①줄이 만나는 칸, 또는 ㉠줄과 ②줄이 만나는 칸 중 한 칸은 쌓기나무가 2개 쌓여있습니다.

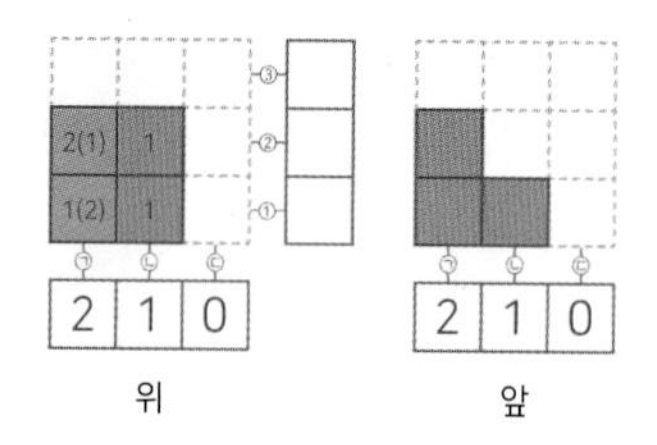

03

[정답]

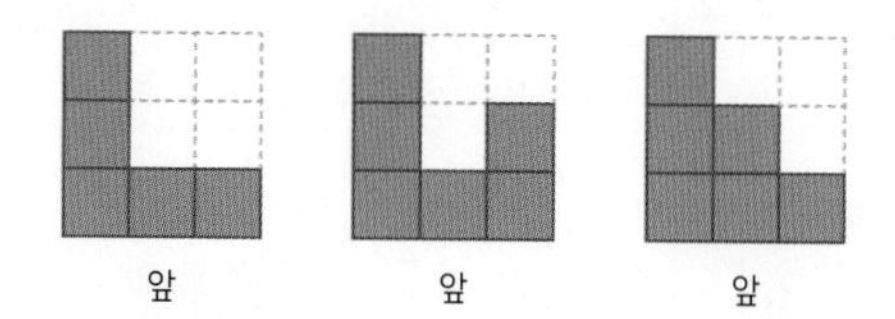

[풀이]

위쪽에서 본 모양과 오른쪽 옆에서 본 모양은 세 모양이 모두 같지만 앞에서 본 모양은 다음과 같이 서로 다릅니다.

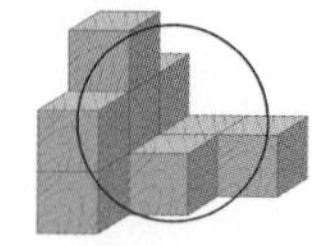

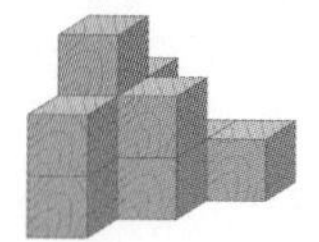

55쪽

탐구주제 2 스카이스크래퍼

스카이스크래퍼의 규칙에 맞게 □ 안에 알맞은 수를 써넣으시오.

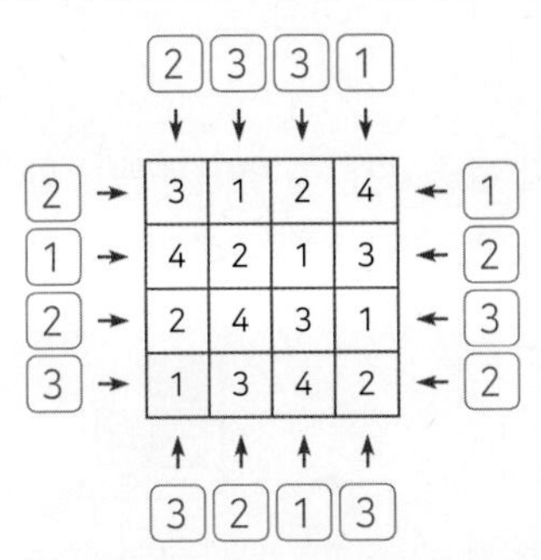

[풀이]
어떤 칸의 뒤 칸이 층수가 더 낮으면 그 건물은 보이지 않습니다. 예를 들어 1, 2, 4, 3층짜리 건물이 순서대로 있으면 가장 뒤 3층짜리 건물은 보이지 않으므로 보이는 건물은 1, 2, 4층짜리 3개입니다. 4층짜리 건물이 가장 앞에 있는 줄은 나머지 3개의 건물이 4층짜리 건물 뒤에 있으므로 보이지 않습니다.

56쪽

탐구 유형 2-1 건물의 층수

[정답] (1)

	4	2	1	2	
3	1	2	4	3	2
2	2	4	3	1	3
2	3	1	2	4	1
1	4	3	1	2	3
	1	2	4	2	

(2)

	1	2	4	2	
1	4	2	1	3	2
2	3	4	2	1	3
3	2	1	3	4	1
3	1	3	4	2	2
	4	2	1	2	

[풀이]
표 밖의 수가 4인 줄에는 1부터 4까지 순서대로 수를 써넣어야 합니다.(정답의 파란색 수 참고) 표 밖의 수가 1인 줄의 이웃한 칸에는 4를 써넣습니다.

01

[정답] (1)

	3	1	2	
2	1	3	2	2
2	2	1	3	1
1	3	2	1	3
	1	2	2	

(2)

	2	3	1	
2	2	1	3	1
1	3	2	1	3
2	1	3	2	2
	2	1	2	

[풀이]
표 밖의 수가 3인 줄에는 1부터 3까지 순서대로 수를 써넣어야 합니다.(정답의 파란색 수 참고) 표 밖의 수가 1인 줄의 이웃한 칸에는 3을 써넣습니다.

57쪽

02

[정답]

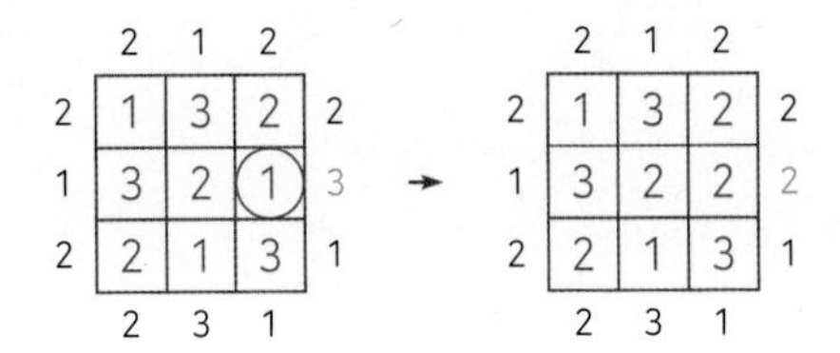

[풀이]
왼쪽의 스카이스크래퍼 퍼즐을 먼저 채웁니다. 파란색 수로 표시한 줄만 보이는 건물의 개수가 달라지므로 이 줄에 있는 건물 중 하나의 층수가 높아져야 합니다.

03

[정답]

	2	2	2	1	
2	3	1	2	4	1
2	2	4	1	3	2
3	1	3	4	2	2
1	4	2	3	1	3
	1	3	2	4	

[풀이]
세 방향에서 보이는 건물의 색으로 건물의 개수를 알 수 있고 표 밖을 채울 수 있습니다. 표 밖의 수가 4인 줄에는 1부터 4까지 순서대로 수를 써넣고 표 밖의 수가 1인 줄의 이웃한 칸에는 4를 써넣습니다. 그 다음 표 밖의 수가 3인 줄의 칸에 들어가는 수를 생각합니다.

58쪽

탐구 유형 2-2 수의 일부만 있는 퍼즐

[정답] (1) (2)

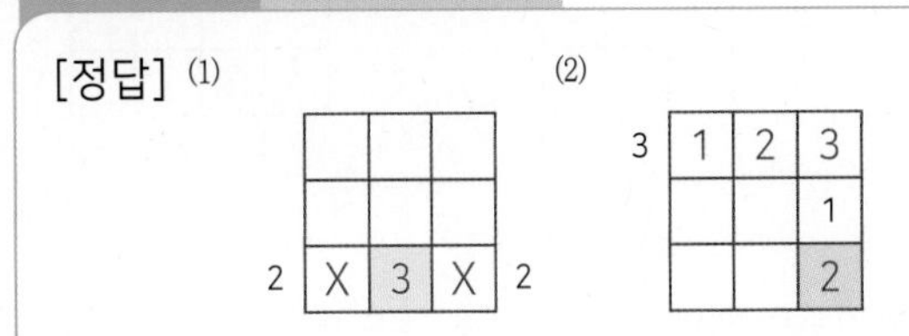

[풀이]
표 밖의 수가 1일 때만 이웃한 칸에 3이 올 수 있습니다. 표 밖의 수가 3인 줄에는 1부터 3까지 순서대로 써넣어야 합니다.

연습 01

[정답] (1) (2)

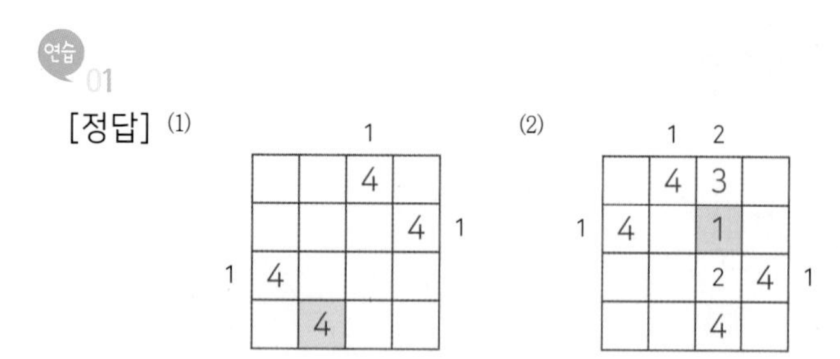

[풀이]

표 밖의 수 1과 이웃한 칸에는 4를 써넣어야 하고 각 줄에 4는 한 번씩 들어갑니다. (2)번 퍼즐에서 보라색 칸에 3이 오면 그 줄 표 밖의 수는 3이 되어야 하므로 보라색 칸에는 1을 써야 합니다.

59쪽

연습 02

[정답] (1) (2)

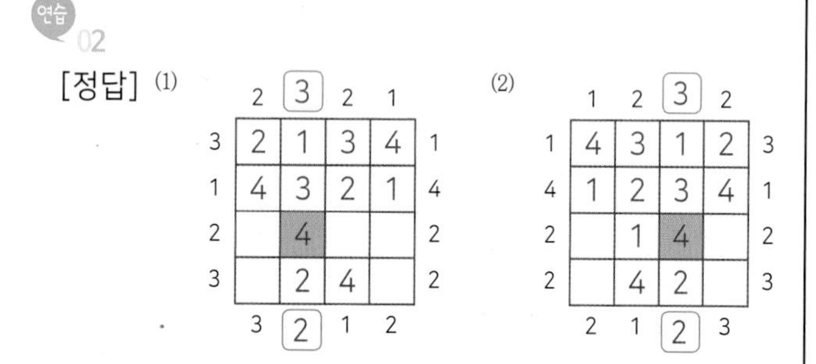

[풀이]

표 밖의 수가 4인 줄에는 1부터 4까지 순서대로 수를 써넣어야 하고 표 밖의 수가 1인 줄의 이웃한 칸에는 4를 써야 합니다. 각 줄에 4는 한 번씩 들어가므로 파란색 칸은 4가 됩니다. 퍼즐을 다 채우지 않아도 표 밖의 수를 구할 수 있습니다.

연습 03

[정답] (1) (2)

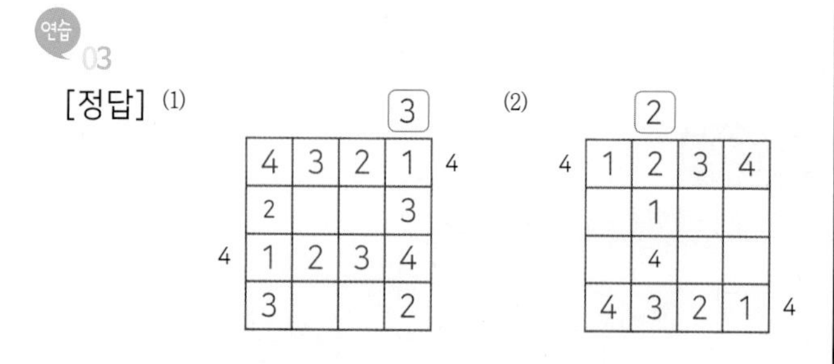

[풀이]

표 밖의 수가 4인 줄에는 1부터 4까지 순서대로 수를 써넣어야 하고 표 밖의 수가 1인 줄의 이웃한 칸에는 4를 써야 합니다. (2)번 퍼즐은 가장 윗줄, 가장 아랫줄에 수를 순서대로 채울 수 있습니다.

60쪽

TOP 사고력

01

[정답] (2)

[풀이]

앞에서 봤을 때 ㉠줄, 오른쪽 옆에서 봤을 때 ①번 줄에 있는 칸에 놓아야 하고 ㉠줄과 ①번 줄이 만나는 칸은 (2)입니다.

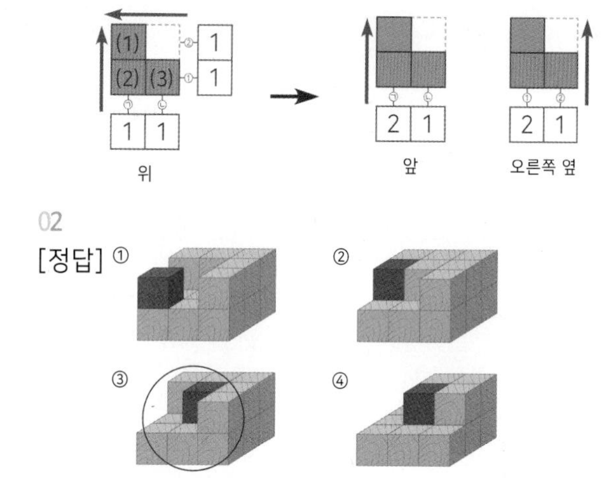

02

[정답] ① ② ③ ④

[풀이]

앞, 왼쪽 옆에서 본 모양의 가운뎃줄 2층에 빨간색 쌓기나무가 있습니다. ③, ④번과 같이 빨간색 쌓기나무를 놓아야 합니다. 뒤, 오른쪽 옆에서 봤을 때는 빨간색 쌓기나무가 보이지 않습니다. 따라서 빨간색 쌓기나무의 뒤와 오른쪽 옆에 보통 쌓기나무가 하나씩 있어야 합니다.

61쪽

03

[정답]

	2	1	2	5	3	
2	4	5	2	1	3	2
2	3	1	⑤	2	4	2
1	5	4	1	3	2	4
5	1	2	3	4	5	1
4	2	3	4	5	1	2
	2	3	②	1	2	

[풀이]

표 밖의 수가 5인 줄에는 1부터 5까지 순서대로 수를 써넣어야 하고 표 밖의 수가 1인 줄의 이웃한 칸에는 5를 써야 합니다.(파란색 수 참고) 한 줄에 1부터 5까지의 수가 1번씩 와야 하므로 ◯ 표한 칸은 5가 들어갑니다. ◯ 표 이웃한 칸에는 1과 2는 들어갈 수 없고 4가 들어가야 그 줄 표 밖의 수가 2가 됩니다.

04

[정답] 12개

[풀이]

위에서 본 모양의 각 칸에 쌓기나무가 적어도 1개씩 있어야 하고 각 줄에 3층인 칸이 적어도 하나씩은 있어야 본문과 같은 모양으로 보입니다. 가능한 경우는 아래와 같고 개수는 모두 15개입니다. 27개 중에서 15개를 남기려면 12개를 덜어내면 됩니다.

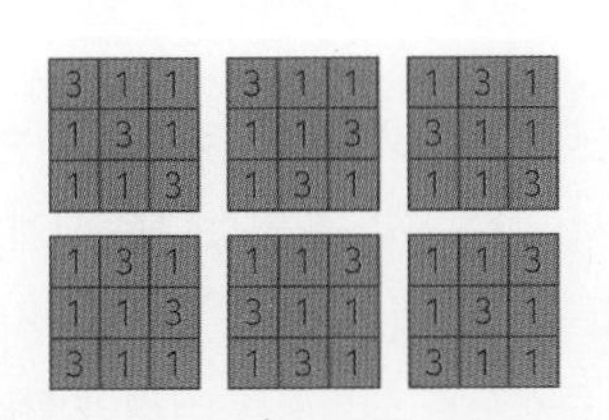

4. 주사위

63쪽

마주보는 면

입체도형의 모서리를 잘라서 종이 위에 펼쳐 놓은 그림을 전개도라고 합니다. 전개도 중 접어서 주사위가 될 수 없는 것에 모두 ○표 하시오.

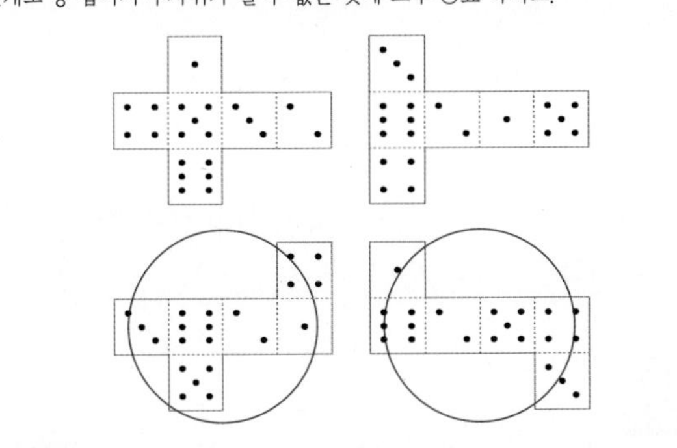

64쪽

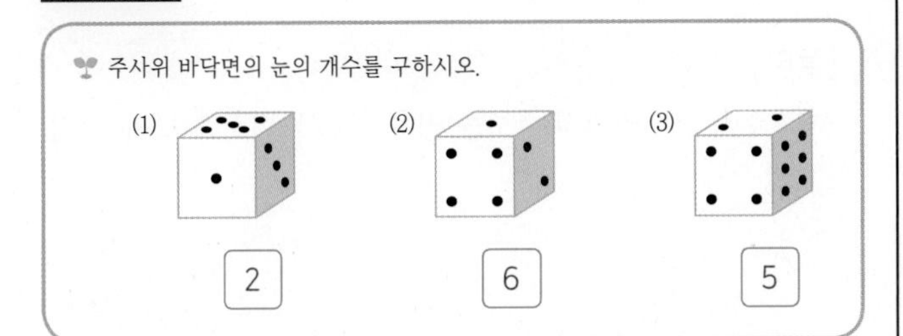

[풀이]

7에서 윗면의 눈을 빼면 바닥면의 눈이 나옵니다.

65쪽

탐구주제 1 전개도와 주사위

전개도의 화살표와 같이 눈의 수가 1, 2, 3인 면을 차례대로 지나기 위해서는 세 면이 만나는 꼭짓점을 중심으로 시계 방향으로 돌아야 합니까 시계 반대 방향으로 돌아야합니까?

①번 주사위: 시계 방향 ②번 주사위: 시계 반대 방향

전개도를 접으면 ①, ②번 주사위 중 어떤 주사위가 됩니까? ①번 주사위

[풀이]

만나는 꼭짓점을 중심으로 눈이 놓여있는 순서가 전개도와 같이 시계 방향이어야 합니다.

66쪽

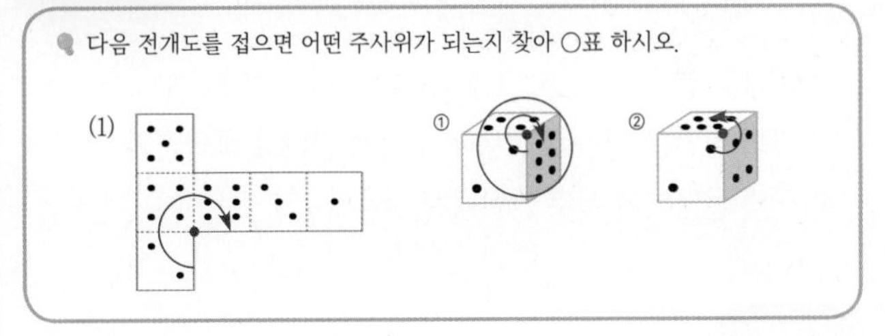

[풀이]

전개도에서 눈이 2, 4, 6인 면은 세 면이 모이는 꼭짓점을 중심으로 시계 방향 순서대로 놓여있습니다.

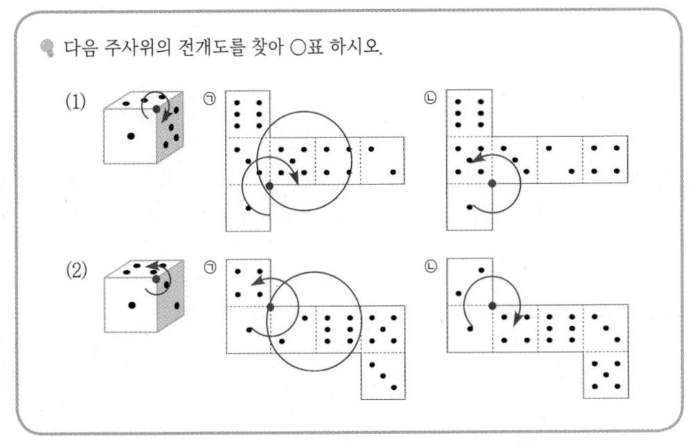

[풀이]

(1): 주사위에서 눈이 1, 3, 5인 면은 세 면이 모이는 꼭짓점을 중심으로 시계 방향 순서대로 놓여있습니다.

(2): 주사위에서 눈이 1, 2, 4인 면은 세 면이 모이는 꼭짓점을 중심으로 시계 반대 방향 순서대로 놓여있습니다.

67쪽

탐구 유형 1-1 주사위가 되는 전개도

[정답]

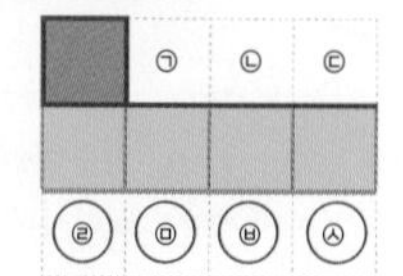

[풀이]

윗면과 옆면은 빨간색 선분에서 서로 만나고 바닥면과 옆면은 파란색 선분에서 서로 만납니다.

01

[정답]

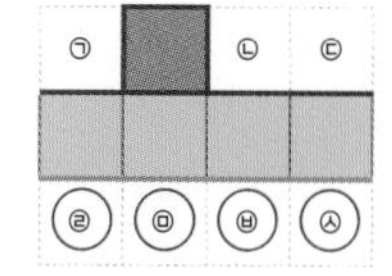

[풀이]

윗면과 옆면은 빨간색 선분에서 서로 만나고 바닥면과 옆면은 파란색 선분에서 서로 만납니다.

68쪽

02

[정답] (1)

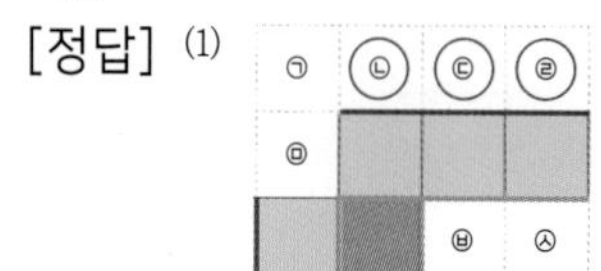

(2)

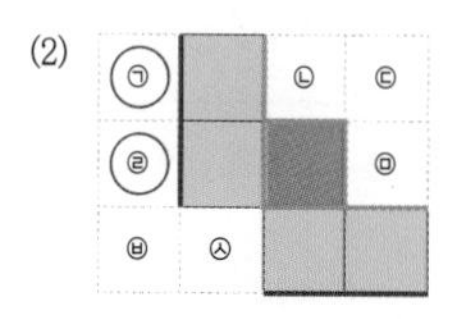

[풀이]

윗면과 옆면은 빨간색 선분에서 서로 만나고 바닥면과 옆면은 파란색 선분에서 서로 만납니다.

03

[정답]

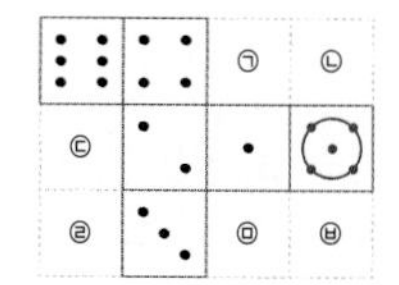

[풀이]

눈이 3인 면이 ㉠, ㉢, ㉤칸에 오면 한 꼭짓점에 면 4개가 만나기 때문에 전개도를 접을 수 없고, ㉡, ㉣, ㉥칸에 오면 다른 면과 겹치게 됩니다.

69쪽

탐구 유형 1-2 전개도 완성하기

[정답] (1), (3), (4) 풀이 참고 (2) 시계 방향

[풀이]

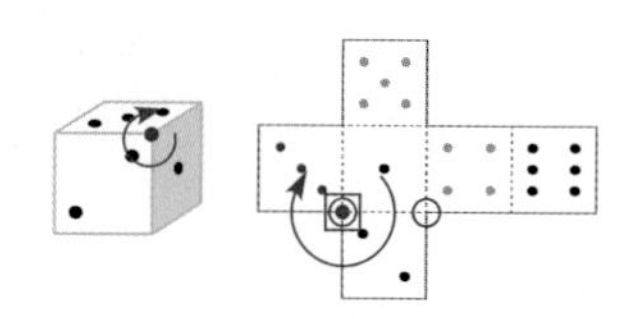

주사위에서 눈이 1, 2, 3인 면은 시계 방향 순서대로 있습니다. 전개도에서도 눈이 1, 2, 3인 면을 시계 방향 순서대로 지나는 화살표를 그린다면 눈이 1, 2인 면이 만나는 두 점 중 왼쪽 점을 중심으로 화살표를 그려야 합니다. 따라서 눈이 3인 면은 □표 한 점에서 눈이 1, 2인 면과 만납니다.

01

[정답]

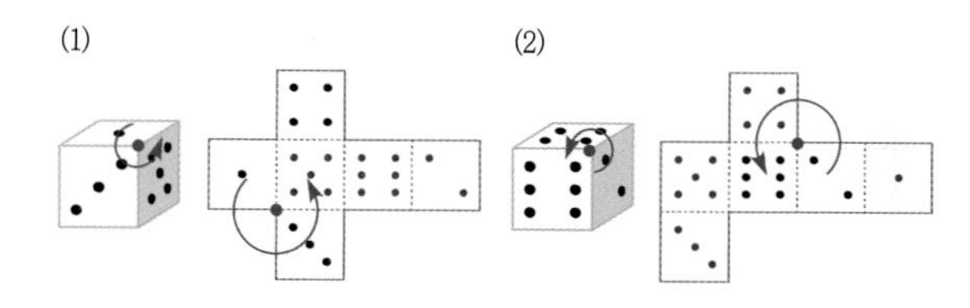

[풀이]

(1): 주사위에서 눈이 1, 3, 5인 면은 시계 반대 방향 순서대로 있습니다.

(2): 주사위에서 눈이 2, 4, 6인 면은 시계 반대 방향 순서대로 있습니다.

70쪽

02

[정답] 5

[풀이]

눈의 수가 2인 면과 마주보는 면은 ㉠면의 위치에 올 수 없습니다.

03

[정답] ④

[풀이]

주사위의 세 면의 눈의 수의 순서와 전개도의 같은 세 면의 눈의 수의 순서가 같은지 확인합니다. ③, ④번 주사위는 주사위를 돌려서 생각합니다.

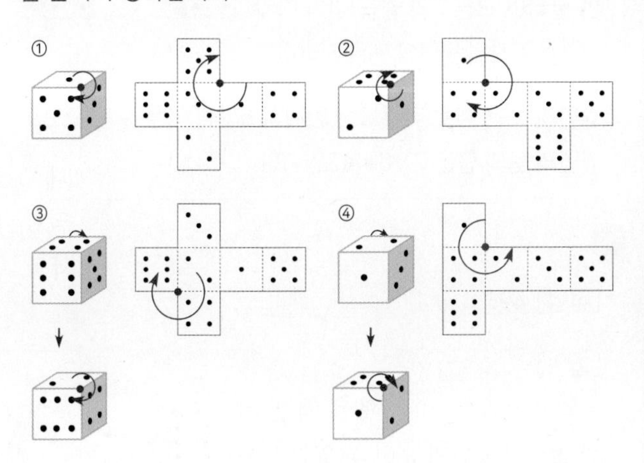

④번 주사위만 주사위와 전개도의 면이 모인 순서가 다릅니다.

71쪽

탐구 유형 1-3 주사위 돌리기

[정답]

(1) 윗면: 3, 오른쪽 옆면: 5 (2) 윗면: 1, 오른쪽 옆면: 5

(3) 1

[풀이]

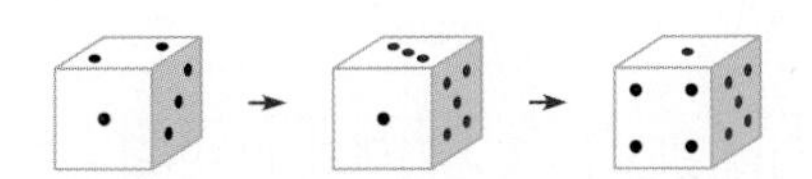

눈이 5인 면은 눈이 2인 면과 마주보기 때문에 왼쪽으로 한 번 굴리면 윗면의 눈이 3, 오른쪽 면의 눈이 5가 됩니다. 눈이 4인 면은 눈이 3인 면과 마주보기 때문에 주사위를 다시 뒤로 한 번 굴리면 옆면의 눈은 5로 변하지 않고 앞면의 눈은 4가 됩니다.

01

[정답] (1) 5 (2) 2

[풀이]

(1): 눈이 4인 면과 마주보는 면은 눈이 3이므로 주사위를 앞, 또는 뒤로 두 번 굴리면 오른쪽 주사위와 같이 보입니다. 눈이 2인 면과 마주보는 면은 눈이 5이므로 앞면의 눈은 5가 됩니다.

(2): 눈이 1인 면과 마주보는 면은 눈이 6이므로 주사위를 오른쪽, 또는 왼쪽 옆으로 두 번 굴리면 오른쪽 주사위와 같이 보입니다. 눈이 5인 면과 마주보는 면은 눈이 2이므로 앞면의 눈은 2가 됩니다.

72쪽

02

[정답]

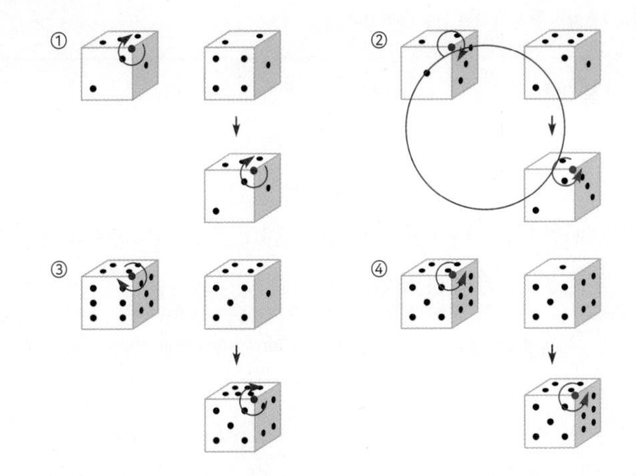

[풀이]

왼쪽 주사위의 보이는 면 3개가 보이도록 오른쪽 주사위를 돌려서 생각합니다. ②번 주사위만 두 주사위의 눈이 놓여있는 순서가 다릅니다.

03

[정답] 1

[풀이]

보이지 않는 두 면은 눈이 5인 면과 마주보기 때문에 눈이 2입니다.

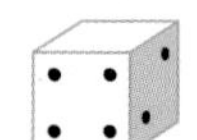

눈이 3인 면은 눈이 4인 면과 마주보고, 눈의 수가 5인 면은 눈의 수가 2인 면과 마주보기 때문에 위에서 봤을 때 반 바퀴 돌려 왼쪽 주사위와 같이 두 면이 보이게 놓을 수 있습니다.

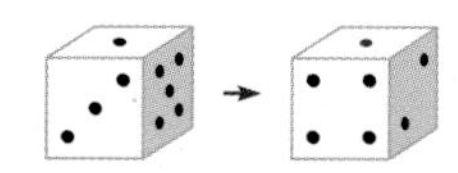

73쪽

탐구주제 2 눈의 수, 면의 모양

주사위의 옆면을 마주 보는 면끼리 묶으면 모두 4쌍이 됩니다. 옆면의 눈의 합을 구하시오. 28

바닥면을 제외한 겉면의 눈의 합을 구하시오. 29

1층 주사위 바닥면의 눈을 구하시오. 4

[풀이]

주사위 옆면은 모두 8개고 서로 마주보는 면끼리 묶으면 4쌍이 됩니다. 따라서 바닥면을 제외한 겉면의 눈의 합은 28(옆면의 눈) + 1(윗면의 눈) = 29이고 1층 주사위 바닥면의 눈은 33(겉면의 눈의 합) - 29 = 4입니다.

주사위 2개를 옆으로 나란히 붙였습니다. 바닥면을 포함한 겉면의 눈의 합이 36일 때 왼쪽 주사위의 왼쪽 면의 눈을 구하시오. 5

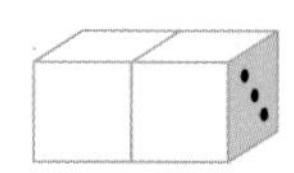

[풀이]

왼쪽 주사위의 왼쪽 면과 오른쪽 주사위의 오른쪽 면을 제외하면 겉면을 서로 마주보는 면끼리 묶으면 4쌍이 됩니다. 왼쪽 주사위 왼쪽 면의 눈을 □라 두면

36 = 28(4쌍의 면의 눈의 합) + 3 + □이므로 □ = 5

74쪽

탐구 유형 2-1 눈의 수 구하기

[정답] (1) 6 (2) 42 (3) 48

[풀이]

주사위를 1이 바닥면으로 가도록 한 번 굴리면 오른쪽과 같습니다. 따라서 3층 주사위 윗면의 눈은 6입니다.

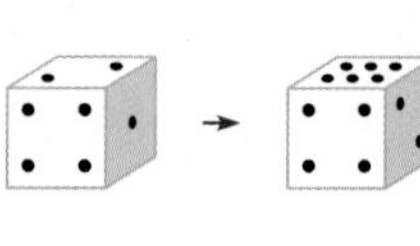

옆면의 눈은 서로 마주보는 면끼리 6쌍씩 묶을 수 있으므로 옆면의 눈의 합은 7×6 = 42입니다.

01

[정답] 49

[풀이]

왼쪽 주사위를 위에서 봤을 때 반 바퀴 돌리면 윗면의 눈이 4, 앞면의 눈이 1, 오른쪽 옆면의 눈이 5가 됩니다. 따라서 왼쪽 주사위 왼쪽 면의 눈은 2입니다.

양 옆면을 제외하고 바닥을 포함한 겉면 중 서로 마주보는 면끼리 묶으면 6쌍이므로, 눈의 합은 7×6 = 42입니다.

75쪽

02

[정답] 54

[풀이]

3층 주사위의 윗면과 1층 주사위의 바닥면의 눈의 수가 6일때 겉면의 눈의 합이 가장 커집니다. 주사위 옆면을 서로 마주보는 면끼리 묶으면 6쌍이므로, 바닥면을 포함한 겉면의 눈의 합은 6 + 6 + 42(옆면의 눈의 합) = 54입니다.

03

[정답] 1

[풀이]

옆면의 눈의 합은 28이고, 2층 주사위 윗면의 눈은 3(=31-28)입니다. 윗면의 눈이 3, 앞면의 눈이 2가 되도록 주사위를 오른쪽 옆으로 두 번 굴린 모습을 나타내면 다음과 같습니다.

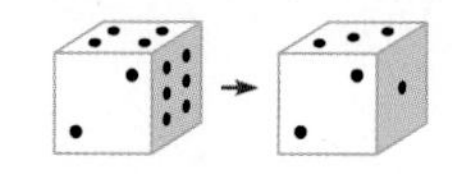

76쪽

탐구 유형 2-2 그림 주사위

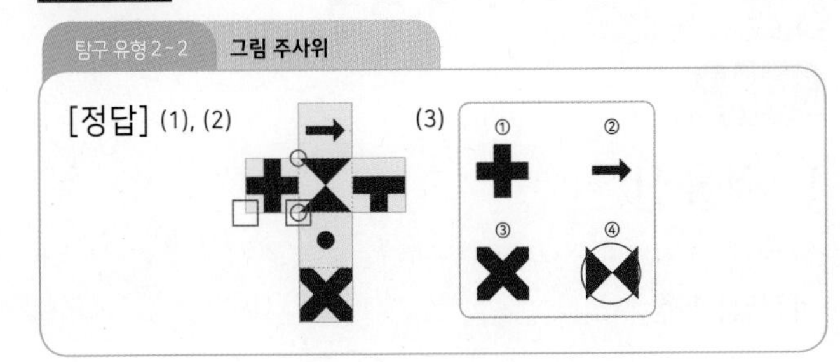

01

[정답] 풀이 참고

[풀이]

모양이 있는 면 3개는 꼭짓점 1개에서 모이기 때문에 전개도에서 모양이 있는 면 2개와 각각 마주보는 면에는 모양이 없습니다. 전개도에서 두 모양을 연결하면 ㄱ자 모양이기 때문에 두 면은 각각 윗면과 오른쪽 옆면입니다.

전개도에서 윗면과 앞면이 만나는 두 꼭짓점에 ○표 하면 오른쪽과 같고, 모양이 있는 나머지 한 면을 찾아 모양을 그릴 수 있습니다.

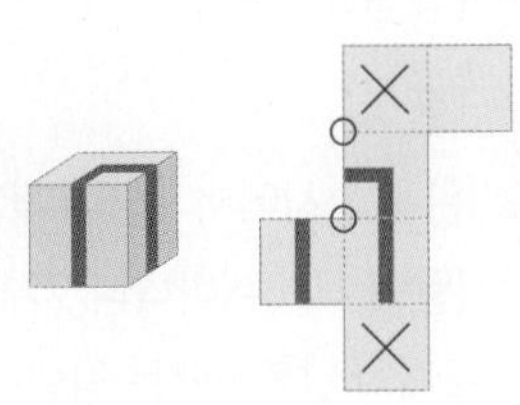

77쪽

02

[정답]

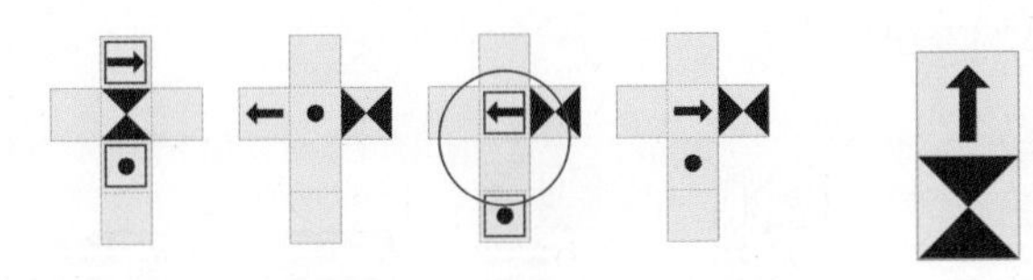

[풀이]

점 모양과 화살표 모양은 서로 마주보는 면에 있습니다. 1, 3번째 전개도가 두 모양이 마주보는 위치에 있습니다. 전개도를 접을 때 화살표와 모래시계 모양이 그려진 면이 오른쪽과 같이 붙어야 합니다.

03

[정답]

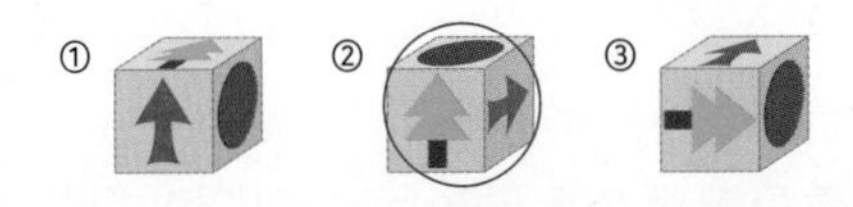

[풀이]

나무의 윗부분이 보라색 원을 향해야 합니다. 화살표는 나무 반대 방향으로 향합니다.

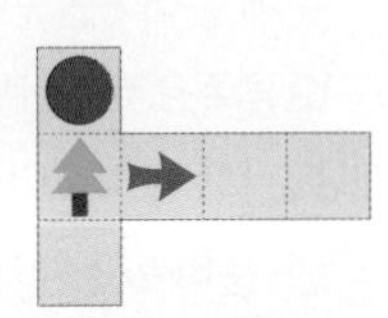

78쪽

TOP 사고력

01

[정답]

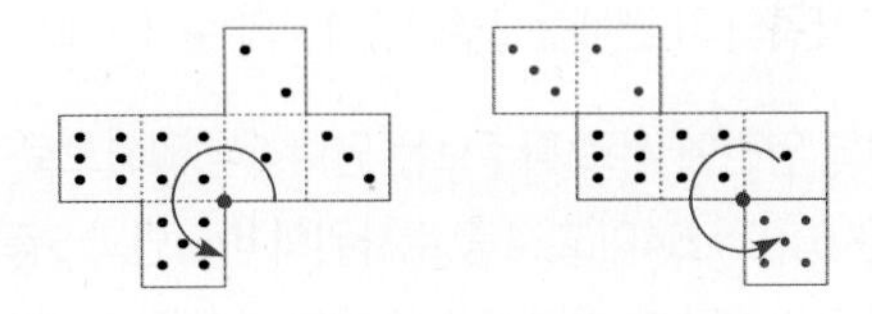

[풀이]

왼쪽 전개도는 눈이 1, 4, 5인 면이 시계 반대 방향 순서대로 놓여있습니다. 눈이 4인 면의 위치로 눈이 3인 면에 눈을 그려 넣으면 눈이 1인 면 아래의 면은 눈이 2, 또는 5가 되어야 합니다. 두 전개도가 같은 주사위의 전개도가 되기 위해서는 눈이 1인 면 아래의 눈이 5가 되어 눈이 1, 4, 5인 면이 시계 반대 방향 순서대로 놓여 있어야 합니다.

02

[정답] 2

[풀이]

주사위를 같은 방향으로 4번 굴리면 같은 면이 나오기 때문에 문제와 같이 주사위를 굴리면 주사위를 앞쪽으로 1번 굴린 후 오른쪽으로 3번 굴렸을 때 윗면의 눈의 수와 같습니다. 왼쪽으로 1번 굴리면 오른쪽으로 3번 굴렸을 때와 윗면의 눈의 수가 같으므로 주사위를 앞쪽으로 1번 굴린 후 왼쪽으로 1번 굴린 후의 윗면의 눈의 수를 구합니다.

79쪽

03

[정답] 6

[풀이]

주사위를 뒤로 한 번 굴리면 눈이 5인 면이 뒷면으로 가기 때문에 눈이 5인 면과 1인 면은 서로 마주봅니다. 주사위를 다시 오른쪽으로 한 번 굴렸을 때 눈이 3인 면이 바닥면으로 가기 때문에 눈이 4인 면과 3인 면은 서로 마주봅니다. 남은 두 면인, 눈이 2인 면과 6인 면도 서로 마주봅니다.

윗면이 눈이 2일 때 바닥면의 눈은 6입니다.

04

[정답] 58

[풀이]

연속하는 6개의 수의 합은 9×3(쌍) $=27$입니다.

$27=9+9+9=4+4+4+5+5+5=2+3+4+5+6+7$이므로 주사위의 각 면에는 2부터 7까지의 수가 1개씩 있습니다.

주사위의 옆면에 서로 마주보는 면이 6쌍 있으므로 옆면의 수의 합은 $6\times9=54$이고, 1층 주사위의 바닥면과 3층 주사위의 윗면의 수가 2일 때 겉면의 수의 합이 가장 작습니다.

TOP 사고력 쑥쑥

81쪽

1. 저울산

01

[정답] 1개

[풀이]

왼쪽 저울에서 (검은 사과) 3개, (연한 사과) 4개는 양쪽 접시에 모두 있으므로 이를 제외하면 (연한 사과) 2개와 (검은 사과) 1개의 무게가 같음을 알 수 있습니다.

02

[정답] ②

[풀이]

왼쪽 접시에서 딸기 1개와 바나나 1개를 제외하면 (딸기 6개)=(바나나 2개)임을 알 수 있습니다. 따라서 바나나 2개와 딸기 5개는 평형이 될 수 없습니다.

82쪽

03

[정답] 10개

[풀이]

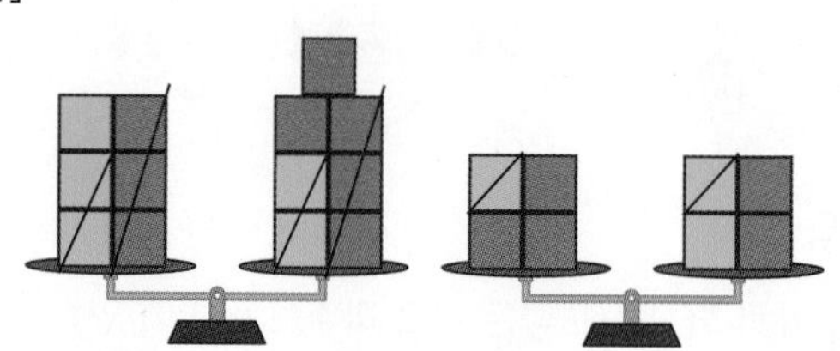

왼쪽 저울에서 (□ 1개)=(■ 2개)이므로 오른쪽 저울의 ■ 2개를 □ 1개로 바꾸면 (■ 1개)=(■ 2개)가 됩니다.

(■ 1개)+(□ 2개)=(■ 2개)+(■ 4개)=(■ 2개)+(■ 8개)

04

[정답] 20, 10

[풀이]

왼쪽 저울에서 (지우개) 1개를 지우면 (지우개 2개)=(연필 4개)이므로 오른쪽 저울의 지우개 2개를 연필 4개로 바꿀 수 있습니다. (연필 6개)=60 g이므로 연필 1개는 10 g입니다. 지우개 1개의 무게는 연필 2개와 같으므로 지우개의 무게는 20 g입니다.

83쪽

05

[정답]

[풀이]

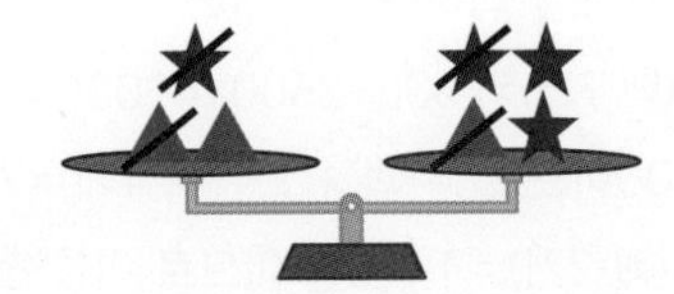

왼쪽 저울에서 (▲ 1개)=(★ 2개)이므로 두 모양의 무게는 ▲ > ★입니다. 오른쪽 저울의 ▲ 1개를 ★ 2개로 바꾸면 (★ 4개)=(■ 3개)이므로 두 모양의 무게는 ★ < ■입니다. 오른쪽 저울에서 ★ 2개를 ▲ 1개로 바꾸면 (▲ 2개)=(■ 3개)이므로 두 모양의 무게는 ▲ > ■입니다. 따라서 세 모양의 무게를 비교하면 ★ < ■ < ▲이므로 두 번째로 무거운 도형은 ■입니다.

06

[정답] (사과) 3 g (참외) 5 g (복숭아) 8 g

[풀이]

복숭아 1개는 사과, 참외 1개의 무게의 합과 같으므로 세 번째 저울 왼쪽 접시에 복숭아 2개를 올려놓아도 평형하게 됩니다. 따라서 복숭아 1개의 무게는 8 g입니다. 사과와 참외 무게의 합은 8 g, 차는 2 g이므로 사과는 3 g, 참외는 5 g입니다.

84쪽

07

[정답] 3인분

[풀이]

(김밥 6인분)=(라면 3인분) → (김밥 2인분)=(라면 1인분)

(돈까스 1인분)=<u>(김밥 2인분)</u>+(라면 2인분)

=<u>(라면 1인분)</u>+(라면 2인분)=(라면 3인분)

08

[정답] 8살

[풀이]

진호 나이의 8배가 윤서 나이의 4배와 같은데 이를 반으로 나누면 진호 나이의 4배는 윤서 나이의 2배와 같고 반으로 한 번 더 나누면 진호 나이의 2배는 윤서 나이와 같습니다.

3×(진호 나이)+<u>(윤서 나이)</u>=3×(진호 나이)+<u>2×(진호 나이)</u>

→ 5×(진호 나이)=20(살) → (진호 나이)=4(살)

윤서 나이는 진호 나이의 두 배이므로 8살입니다.

85쪽

09

[정답] 2개

[풀이]

오른쪽 저울에서 (▲ 4개)+(△ 2개)=(▲ 1개)이므로 왼쪽 저울의 ▲를 ▲와 △로 바꾸면 다음과 같습니다.

(▲ 6개)=(▲ 4개)+(△ 2개)+(△ 2개) → (▲ 2개)=(△ 4개)

→ (▲ 1개)=(△ 2개)

10

[정답] 6개

[풀이]

(참외 3개)+(바나나 3개)=(딸기 6개)

→ (참외 1개)+(바나나 1개)=(딸기 2개)이므로 이를 이용하면

<u>(딸기 2개)</u>+(참외 1개)=(바나나 7개)

→ <u>(참외 1개)+(바나나 1개)</u>+(참외 1개)=(바나나 7개)

→ (참외 2개)=(바나나 6개) → (참외 1개)=(바나나 3개)

딸기 2개의 가격을 바나나만으로 표현하면

(딸기 2개)=(참외 1개)+(바나나 1개)

=(바나나 3개)+(바나나 1개)=(바나나 4개)입니다.

따라서 딸기 1개는 바나나 2개와 가격이 같고 딸기 3개는 바나나 6개의 가격과 같습니다.

86쪽

11

[정답] 2마리

[풀이]

주어진 무게를 식으로 표현하면

첫 번째 식 : (닭 6마리)+(오리 3마리)=(칠면조 3마리)

두 번째 식 : (오리 4마리)+(칠면조 4마리)=(닭 12마리)입니다.

첫 번째 식을 3등분해서 생각하면

첫 번째 식 : (닭 2마리)+(오리 1마리)=(칠면조 1마리)

두 번째 식을 4등분해서 생각하면

(오리 1마리)+(칠면조 1마리)=(닭 3마리)이므로 두 번째 식의 칠면조를 오리와 닭의 무게로 바꾸어 생각할 수 있습니다.

두 번째 식 : (오리 1마리)+(칠면조 1마리)+=(닭 3마리)

→ (오리 1마리)+(오리 1마리)+(닭 2마리)=(닭 3마리)

→ (오리 2마리)=(닭 1마리)

12

[정답] 3, 4

[풀이]

주어진 지우개와 연필의 무게를 식으로 표현하면

첫 번째 식 : (지우개 3개)+(연필 1개)=13(g)

두 번째 식 : (지우개 1개)+(연필 3개)=15(g)입니다.

두 식의 지우개와 연필을 모두 더하면

(지우개 4개)+(연필 4개)=13+15=28(g)인데 28=4×7이므로 (지우개 1개)+(연필 1개)=7(g)입니다.

첫 번째 식에서 지우개 1개와 연필 1개를 7 g으로 바꾸면

(지우개 2개)+7=13(g) → (지우개 2개)=6(g)

따라서 지우개 1개는 3 g이고 연필 1개는 4 g입니다.

87쪽

13

[정답] ㉠=5, ㉡=4

[풀이]

㉠단의 4번째 수는 ㉠×4을, ㉡단의 3번째 수는 ㉡×3을 의미합니다. 이를 이용하여 식을 세우면 다음과 같습니다.

첫 번째 식 : ㉠×4+㉡×3=32, 두 번째 식 : ㉠×3+㉡×4=31

두 식의 ㉠과 ㉡을 모두 더하면 ㉠×7+㉡×7=32+31=63이고 63=7×9이므로 ㉠+㉡=9입니다. ㉠×3+㉡×3=27이므로 이를 첫 번째 식에 넣으면 ㉠+27=32 → ㉠=5이고 ㉡=4입니다.

14

[정답] 300원

[풀이]

첫 번째 식 : (사과 5개)+(배 2개)=2300(원)

두 번째 식 : (사과 2개)+(배 5개)=2600(원)

두 식의 과일을 모두 더하면

(사과 7개)+(배 7개)=2300+2600=4900(원)입니다.

4900=7×700이므로 (사과 1개)+(배 1개)=700(원)입니다.

(사과 2개)+(배 2개) = 1400원 이므로 이를 첫 번째 식에 넣으면 (사과 3개)+1400=2300(원)

→ (사과 3개)=900(원)이므로 사과 1개는 300원입니다.

88쪽

15

[정답] 22, 3, 3

[풀이]

용수철 저울 2개의 무게는 16 g이고 추의 무게는 6 g이므로 가장 위에 있는 저울의 눈금은 16+6=22(g)으로 표시됩니다.

추의 무게가 6 g인데 중간에 있는 2개의 저울에 무게가 나누어지므로 각각의 저울에는 3 g으로 표시됩니다.

16

[정답] 6 kg

[풀이]

가장 아래의 두 저울에 표시된 무게를 더하면 12 kg이므로 위에 있는 두 저울의 무게는 각각 6 kg입니다. 따라서 눈금은 6 kg으로 표시됩니다.

89쪽

2. 여러 가지 배수 관계

01

[정답] 10개

[풀이]
길이를 식으로 간단히 표현하면 (연필 6개)=(바둑돌 27개)인데 6=3×2이고 27=3×9이므로 (연필 2개)=(바둑돌 9개)입니다. 나무막대 1개의 길이는 바둑돌 45(=9×5)개와 같으므로 바둑돌이 9개씩 5묶음 있는 것으로 생각할 수 있습니다. 따라서 나무막대 1개의 길이는 연필 2개가 5묶음 있는 것과 같으므로 연필 10개의 길이와 같습니다.

02

[정답] 25개

[풀이]
가격을 식으로 간단히 표현하면 (빵 10개)=(과자 16개)인데 반으로 나누면 (빵 5개)=(과자 8개)입니다. 과자 40개의 가격을 구하기 위해 (과자 8개)를 5배 해야 합니다.
5×(빵 5개)=5×(과자 8개) → (빵 25개)=(과자 40개)

90쪽

03

[정답] 12분

[풀이]
지연이와 수진이가 만나려면 32층을 움직여야 합니다. 3분 동안 지연이는 5층을 올라가고 수진이는 3층을 내려가므로 8층씩 가까워집니다. 8층씩 4번 이동해야 32층을 움직이게 되므로 3×4=12(분) 후에 두 사람이 만납니다.

04

[정답] 24분

[풀이]
두 사람은 3분 동안 80 m씩 가까워집니다. 운동장의 둘레가 320 m이므로 320 m를 이동하면 처음으로 만나고 640 m를 이동하면 두 번째로 만나게 됩니다. 640=8×80이므로 80 m씩 8번 움직여야 하고 80 m를 가는데 3분이 걸리므로 두 번째로 만나는데 걸리는 시간은 3×8=24(분)입니다.

91쪽

05

[정답] 1500원

[풀이]
진수가 이틀 동안 사용한 금액은 800원이므로 받은 금액(500원)보다 300원을 더 사용하게 됩니다. 10일 동안 300원씩 5번을 더 사용한 것이므로 처음에 300×5=1500(원)을 갖고 있었다는 것을 알 수 있습니다.

06

[정답] 160 m

[풀이]
재민이가 2분에 20 m를 더 걷고 있으므로 두 사람의 간격은 2분에 20 m씩 늘어납니다. 16분 동안 20 m씩 8번 멀어진 것이므로 16분 후에는 160(=20×8) m만큼 차이가 납니다.

92쪽

07

[정답] 42권

[풀이]
위인전의 권수는 백과사전 권수의 6배이므로 모든 책을 더하면 백과사전 권수의 7배입니다. → 7×(백과사전의 권수)=49(권) 따라서 백과사전은 7권이고 위인전은 7×6=42(권)입니다.

08

[정답] 35개

[풀이]
누나와 동생이 먹은 과자의 수를 모두 합하면 동생이 먹은 과자 수의 8배입니다. 40=8×5이므로 동생이 먹은 과자는 5개이고 누나가 먹은 과자는 5×7=35(개)입니다.

93쪽

09

[정답] 24송이

[풀이]
장미와 튤립 개수의 차이는 16송이이고 장미의 수가 튤립의 3배이므로 차이는 튤립의 수의 2배입니다.
2×(튤립의 수)=16(송이) → (튤립의 수)=8(송이)
따라서 장미는 8×3=24(송이)가 있습니다.

10
[정답] 6 kg

[풀이]
저울의 수박을 참외 6개로 바꾸면
(수박 1개)=(참외 2개)+4(kg) → (참외 6개)=(참외 2개)+4(kg)
→ (참외 4개)=4(kg) → (참외 1개)=1(kg)
따라서 수박의 무게는 6 kg입니다.

94쪽

11
[정답] 27 cm

[풀이]
공책의 세로 길이와 연필 길이의 차는 연필 길이의 2배이고 공책의 세로 길이가 18 cm 더 길기 때문에
2×(연필 길이)=18(cm) → (연필 길이)=9(cm)입니다.
따라서 공책의 세로 길이는 9×3=27(cm)입니다.

12
[정답] 25살

[풀이]
이모의 나이는 조카의 나이의 2배보다 3살 많으므로 3을 빼고 생각하면 다음과 같습니다.
2×(조카의 나이)+(조카의 나이)=36-3=33(살)
→ 3×(조카의 나이)=33(살) → (조카의 나이)=11(살)
따라서 이모의 나이는 2×11+3=25(살)입니다.

95쪽

13
[정답] 12살

[풀이]
4년 후 현수의 나이는 8살인데 이는 같은 해의 형의 나이의 절반이므로 형의 나이는 두 배인 16살입니다. 따라서 올해는 16살인 해보다 4년 전이므로 올해는 12살입니다.

14
[정답] 6살

[풀이]
지수, 동생, 엄마의 나이의 합이 37살이고 내년에는 합이 40이 됩니다. 내년에는 엄마의 나이가 지수와 동생 나이의 합의 3배이므로 나이의 합은 지수와 동생 나이의 4배입니다.
4×(지수+동생)=40(살) → (지수+동생)=10(살)
지수는 동생보다 2살 많으므로 지수는 6살, 동생은 4살입니다.

96쪽

15
[정답] 240마리

[풀이]
고양이가 2배가 되고 시간이 3배 늘어나므로 잡을 수 있는 쥐의 수는 2×3=6(배)가 됩니다. 따라서 40×6=240(마리)입니다.

16
[정답] 3일

[풀이]
강아지의 마릿수가 반으로 줄어들면 먹는 사료의 양도 반으로 줄어들기 때문에 강아지 3마리가 2일 동안 사료 12봉지를 먹고, 강아지 3마리가 1일 동안 먹으면 사료를 6봉지 먹습니다.
사료 6봉지를 강아지 3마리가 2봉지씩 나누어 먹기 때문에 강아지 1마리가 1일 동안 사료 2봉지를 먹습니다.
사료 42봉지를 강아지 7마리에게 먹이려면 한 마리당 6봉지를 먹여야 하는데 강아지 1마리는 1일 동안 사료 2봉지를 먹을 수 있으므로 6봉지를 먹으려면 3일이 걸립니다.

97쪽

3. 쌓기나무 놀이

01

[정답]

(1)

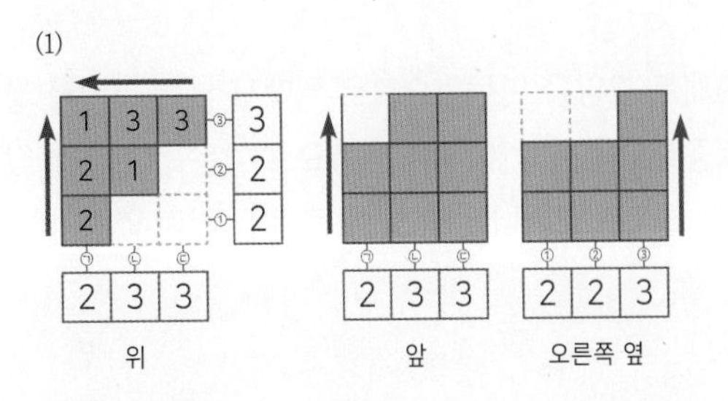

(2)

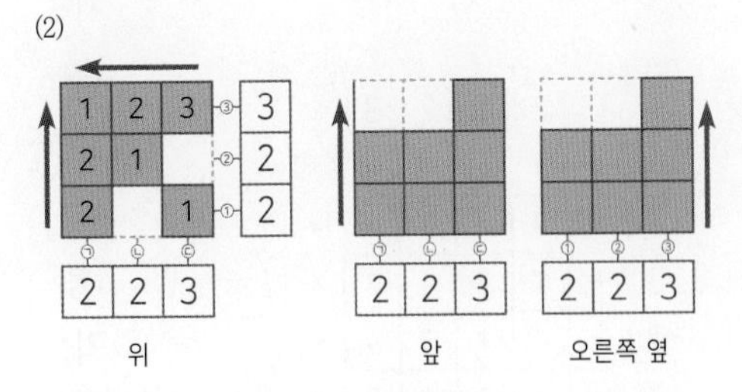

(3)

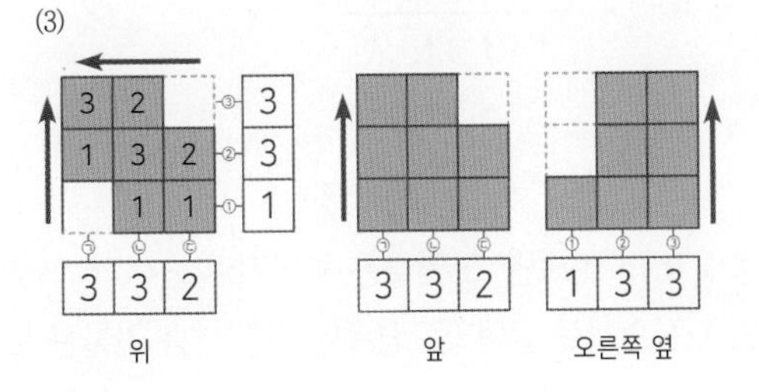

[풀이]

각 줄에서 보았을 때의 모양의 층수는 그 줄에서 가장 높은 쌓기나무의 층수와 같습니다.

98쪽

02

[정답]

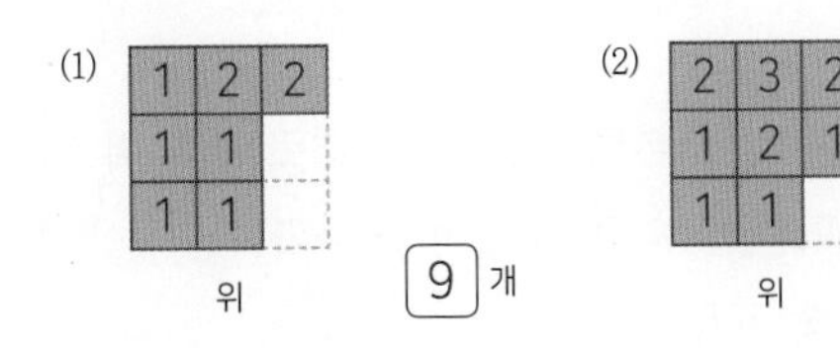

03

[정답] ⑧

[풀이]

앞에서 본 모양이 문제와 같이 되려면 ①, ④, ⑧, ⑫번 칸 중 한 곳에 쌓기나무를 쌓아야 합니다. 오른쪽 옆에서 본 모양이 문제와 같이 되려면 ⑥, ⑦, ⑧, ⑨번 칸 중 한 곳에 쌓기나무를 쌓아야 합니다. 따라서 공통으로 들어가는 ⑧번 칸에 쌓아야 합니다.

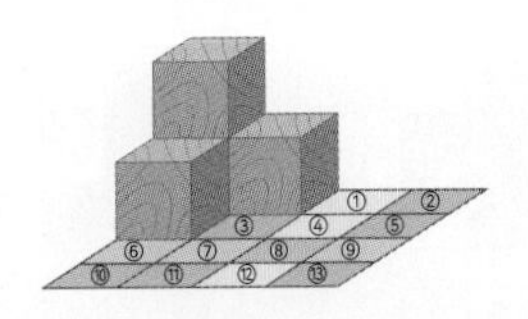

99쪽

04

[정답] ②

[풀이]

4가지 모양을 오른쪽 옆에서 본 모양은 다음과 같습니다.

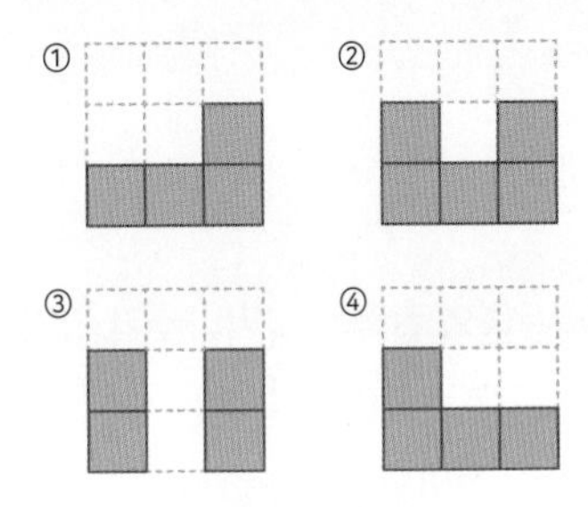

05

[정답]

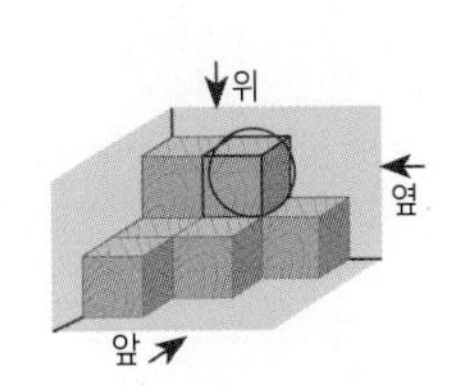

[풀이]

주사위를 덜어내면 앞에서 본 모양만 바뀝니다. ⓒ줄과 ③번 줄이 만나는 칸의 쌓기나무를 1개 덜어냈습니다.

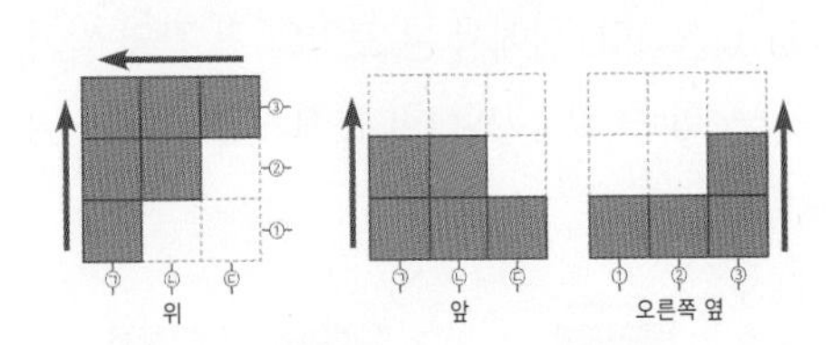

100쪽

06

[정답] (1)

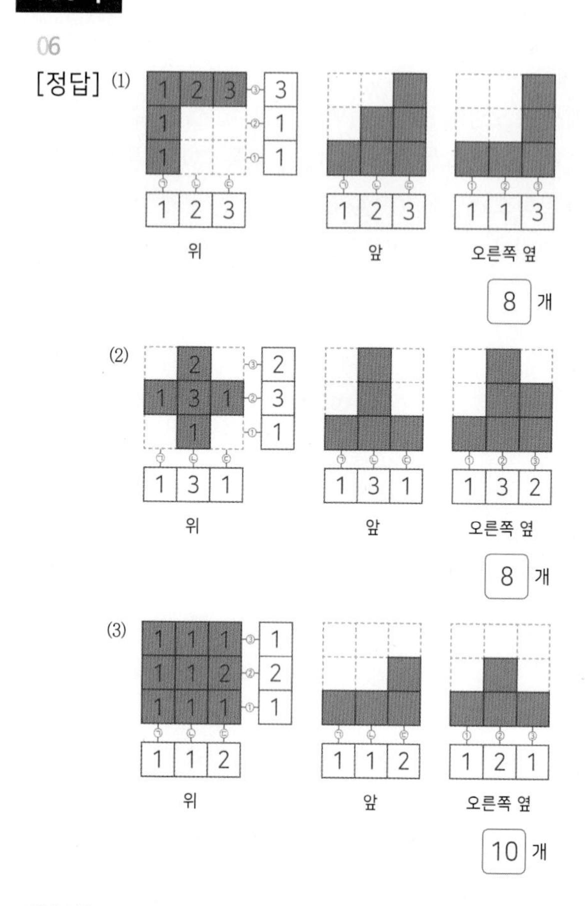

[풀이]

1층으로 보이는 줄의 칸에는 쌓기나무가 없거나 1개씩 있습니다. 2층이나 3층으로 보이는 줄에는 쌓기나무가 2층, 또는 3층으로 쌓인 칸이 적어도 1개 있습니다.

101쪽

07

[정답] 6개

[풀이]

㉠, ㉡줄의 칸 중 하나에 쌓기나무가 2층인 칸이 적어도 1개 있고, ①, ②번 줄의 칸 중 하나에도 쌓기나무가 2층인 칸이 적어도 1개 있습니다. 위에서 본 모양의 각 칸의 쌓기나무를 다음과 같이 구할 수 있습니다.(각 칸에 수를 써넣는 방법은 여러 가지 있습니다.)

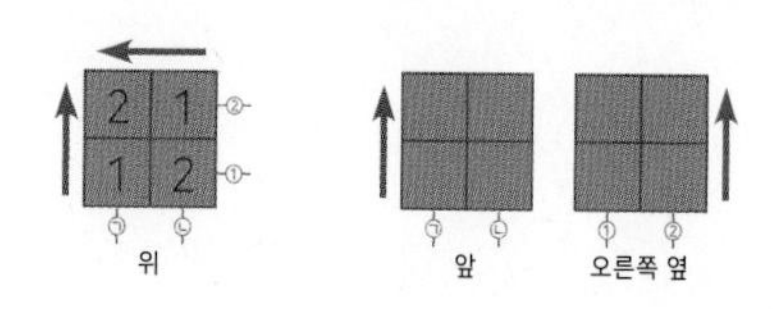

08

[정답]

	㉠	㉡	㉢	
				③
	1	1	1	②
	2	2	2	①

위

오른쪽 옆

[풀이]

쌓기나무 9개로 모양을 만들었으므로 위에서 본 모양에서 쌓기나무를 2층으로 쌓은 칸이 3개, 1층으로 쌓은 칸이 3개 있습니다. ②번 줄에는 쌓기나무를 2층으로 쌓은 칸이 없습니다.

102쪽

09

[정답]

	2	1	2	3	
2	3	4	2	1	3
3	1	2	4	3	2
3	2	1	3	4	1
1	4	3	1	2	3
	1	2	3	2	

[풀이]

뒤의 칸의 층수가 더 낮으면 그 건물은 보이지 않습니다. 예를 들어 2, 4, 3, 1층 순서로 쌓여있으면 뒤의 3층, 1층 건물은 보이지 않습니다. 4층이 가장 앞에 있는 줄에는 1을 써넣습니다.

10

[정답] (1)

	2	4	2	1	
3	2	1	3	4	1
1	4	2	1	3	2
3	1	3	4	2	2
2	3	4	2	1	3
	2	1	2	4	

(2)

	2	1	2	4	
2	2	4	3	1	3
1	4	3	1	2	3
3	1	2	4	3	2
2	3	1	2	4	1
	2	4	2	1	

[풀이]

표 밖의 수가 4인 줄에는 1부터 4까지 순서대로 수를 써넣어야 합니다.(정답의 파란색 수 참고) 표 밖의 수가 1인 줄의 가장 앞에는 4를 써넣습니다.

103쪽

11

[정답]

	1	3	2	4	
1	4	2	3	1	3
3	1	3	4	2	2
2	2	4	1	3	2
2	3	1	2	4	1
	2	2	2	1	

[풀이]

세 방향에서 보이는 모양으로 표의 옆에 파란색 수를 써넣을 수 있습니다. 표 밖의 수가 4인 줄에는 1부터 4까지 순서대로 수를 써넣고 표 밖의 수가 1인 줄의 가장 앞에는 4를 써넣습니다.

12

[정답]

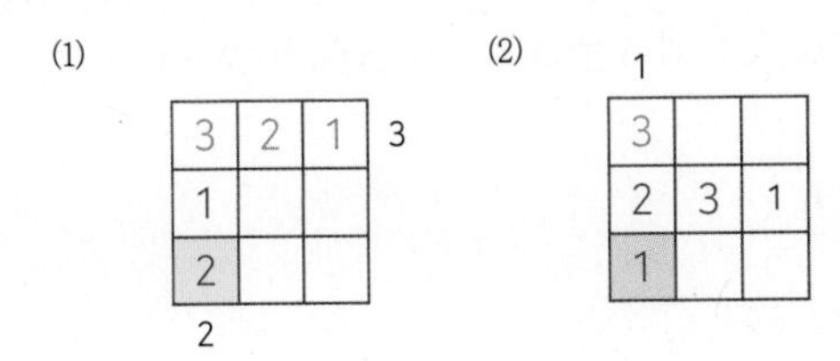

[풀이]

(1): 표 밖의 수 3을 보고 파란색 수를 써넣을 수 있습니다. 초록색 칸 밑의 수가 2이므로 초록색 칸에는 2를 써넣습니다.

(2): 표 밖의 수 1을 보고 파란색 3을 써넣을 수 있습니다. 한 줄에 수 1을 하나만 써넣어야 되므로 주황색 칸에는 1을 써넣습니다.

104쪽

13

[정답]

(1)

	3	1	2	3	
2	2	4	3	1	3
3	1	3	4	2	2
2	3	2	1	4	1
1	4	1	2	3	2
	1	4	2	2	

(2)

	1	2	3	4	
1	4	3	2	1	4
2	1	4	3	2	3
2	2	1	4	3	2
2	3	2	1	4	1
	2	2	2	1	

[풀이]

표 밖의 수가 4인 줄에서는 모든 건물이 보이므로 1부터 4까지 순서대로 수를 써넣어야 합니다. 표 밖의 수가 1인 줄의 가장 앞에는 4를 써넣습니다.

14

[정답] ①

[풀이]

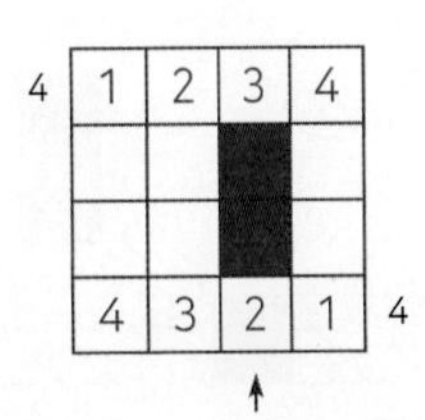

표 밖의 수를 이용해서 표 안에 수를 위와 같이 써넣을 수 있습니다. 빨간색 칸 중 어떤 곳에 4를 써넣어도 화살표 방향에서 봤을 때 2층 건물, 4층 건물 2개가 보입니다.

105쪽

4. 주사위

01

[정답] 13

[풀이]

주사위 윗면의 눈의 수의 합은 8입니다. 세 주사위의 윗면과 바닥면의 수의 합은 21이므로 바닥면의 눈의 합은
$21 - 8 = 13$입니다.

[다른 풀이] 바닥면의 눈은 왼쪽부터 순서대로 2, 6, 5입니다.

02

[정답]

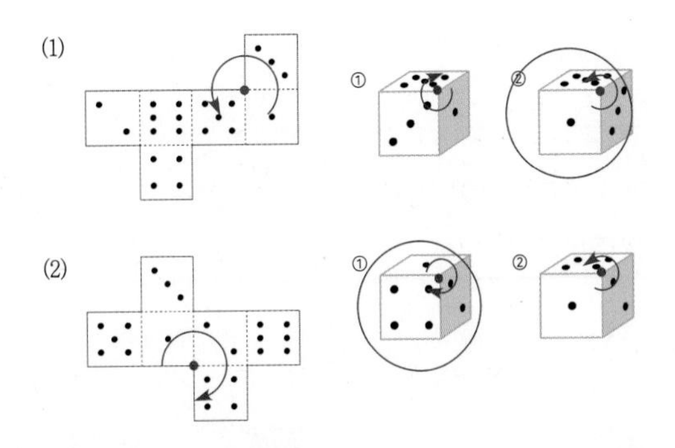

[풀이]

주사위의 세 면을 전개도에서 찾고, 전개도의 세 면이 만나는 꼭짓점을 중심으로 도는 화살표, 주사위의 세 면이 만나는 꼭짓점을 중심으로 도는 화살표를 그립니다.

(1): 전개도에서 눈이 1, 3, 5인 면은 만나는 꼭짓점을 중심으로 시계 반대 방향 순서대로 놓여있습니다.

(2): 전개도에서 눈이 1, 2, 4인 면은 만나는 꼭짓점을 중심으 시계 방향 순서대로 놓여있습니다.

106쪽

03

[정답]

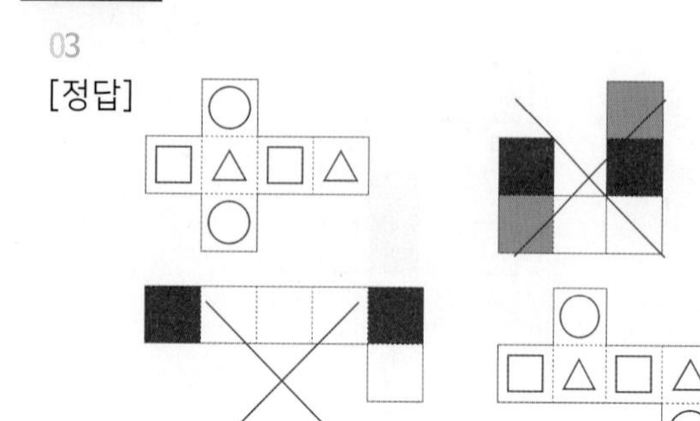

[풀이]

X표 한 전개도를 접으면 빨간색 면은 빨간색 면끼리, 파란색 면은 파란색 면끼리 겹칩니다. 같은 모양을 그려넣은 면끼리 서로 마주봅니다.

04

[정답]

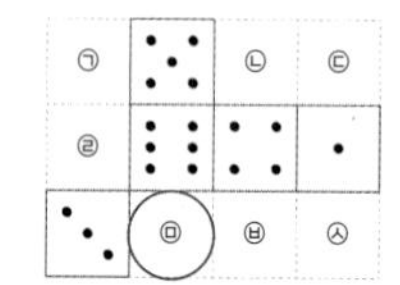

[풀이]

전개도는 하나로 이어져야 하기 때문에 ㉣, ㉤칸 중 한 칸에 눈이 2인 면이 와야 합니다. ㉣칸에 눈이 2인 면이 오면 눈이 5인 면과 마주보게 됩니다.

107쪽

05

[정답] 4가지

[풀이]

아래와 같이 4가지 방법이 있습니다. 같은 모양을 그려넣은 면끼리 서로 마주봅니다.

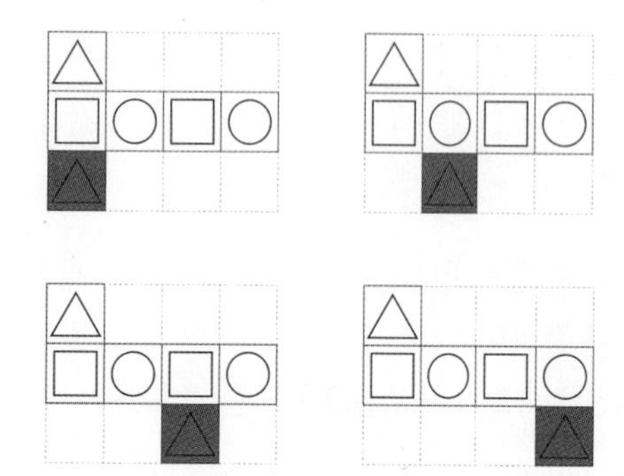

06

[정답] 3

[풀이]

눈이 4인 면과 마주보는 면은 ㉠면이 될 수 없습니다.

108쪽

07

[정답]

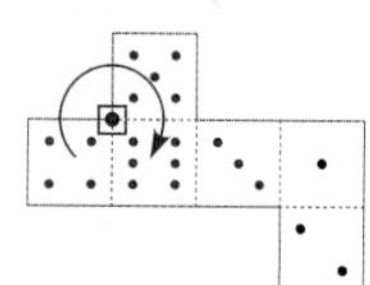

[풀이]

주사위에서 눈이 4, 5, 6인 면은 시계 방향 순서대로 있습니다. 전개도에서도 눈이 4, 5, 6인 면을 시계 방향 순서대로 지나는 화살표를 그린다면 눈이 5, 6인 면이 만나는 두 점 중 왼쪽 점을 중심으로 화살표를 그려야 합니다. 따라서 눈이 4인 면은 □표 한 꼭짓점에서 눈이 5, 6인 면과 만납니다.

08

[정답] 6

[풀이]

오른쪽 주사위의 왼쪽 면의 눈이 6 이므로 왼쪽 주사위의 오른쪽 면의 눈의 수는 2입니다.

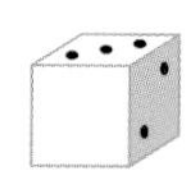

주사위 2개가 같기 때문에 오른쪽 주사위를 앞으로 2번 굴리고, 다시 위에서 봤을 때 시계 반대 방향으로 반의 반 바퀴 돌린 모습을 연속해서 나타내면 다음과 같습니다.

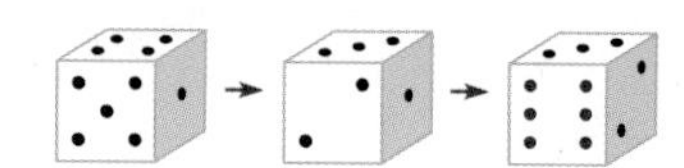

109쪽

09

[정답] (1) 1 (2) 1

[풀이]

(1)번 주사위는 위에서 봤을 때 시계 방향으로 반의 반 바퀴 돌린 모양을 구해봅니다. (2)번 주사위는 앞으로, 또는 뒤로 2번 굴리고, 다시 오른쪽으로 한 번 굴린 모양을 구해봅니다.

(1) (2)

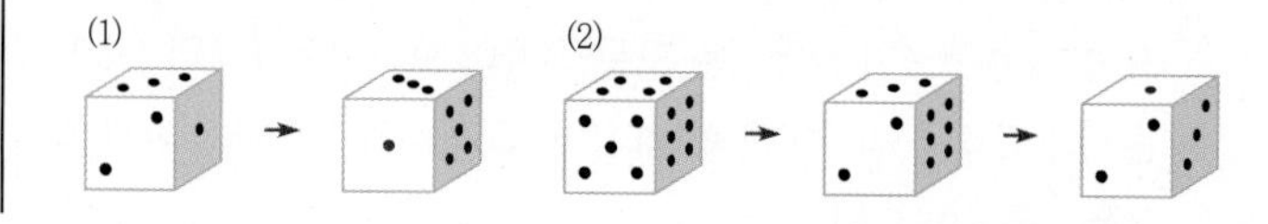

10

[정답] 5

[풀이]

오른쪽 주사위의 왼쪽 면의 눈이 6이므로 왼쪽 주사위의 오른쪽 면의 눈의 수는 3입니다.

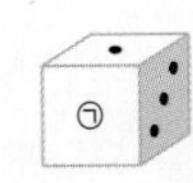

오른쪽 주사위를 왼쪽 옆으로 한 번 굴리면 윗면의 눈이 1, 오른쪽 면의 눈이 3이 됩니다.

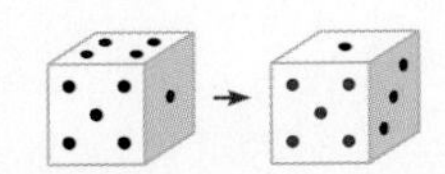

110쪽

11

[정답] 45

[풀이]

주사위를 오른쪽 또는 왼쪽 옆으로 2번 굴리고, 다시 위에서 봤을 때 시계 방향으로 반의 반 바퀴 돌린 모양을 연속해서 나타내면 다음과 같습니다.

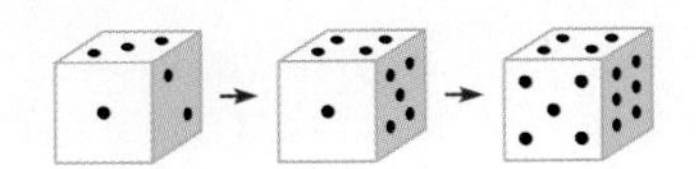

왼쪽에서 첫 번째 주사위의 왼쪽 면의 눈이 1, 세 번째 주사위의 오른쪽 면의 눈이 2이고, 나머지 겉면을 서로 마주보는 면끼리 묶으면 6쌍 나오므로 겉면의 눈의 수의 합은

$1+2+42(=6\times7)=45$입니다.

12

[정답] 1

[풀이]

주사위를 앞으로 한 번 굴리고, 다시 오른쪽 또는 왼쪽 옆으로 2번 굴린 모양을 연속해서 나타내면 다음과 같습니다.

1층 주사위 바닥면의 눈이 4고, 옆면을 서로 마주보는 면끼리 묶으면 4쌍이 되기 때문에 ㉠면의 눈의 수는

$33-4-28(=4\times7)=1$입니다.

111쪽

13

[정답] 35

[풀이]

맞닿은 면과 양 옆의 두 면의 눈의 합은 14이므로 오른쪽 주사위의 오른쪽 면의 눈과 왼쪽 주사위의 왼쪽 면의 눈의 합은 7입니다. 나머지 겉면을 서로 마주보는 면끼리 묶으면 4쌍이 나오므로 겉면의 눈의 수의 합은

$7+28(=4\times7)=35$입니다.

14

[정답]

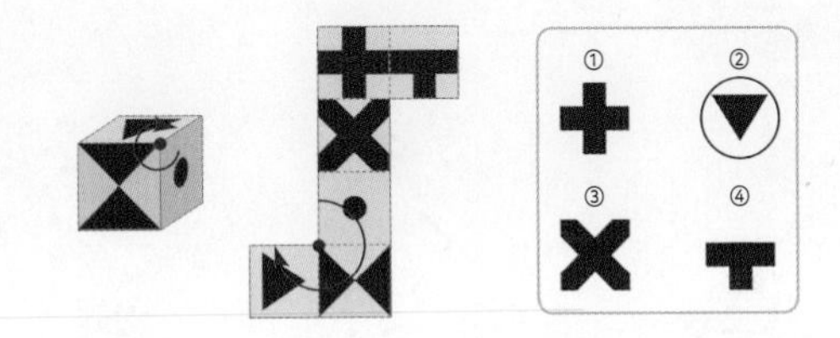

[풀이]

전개도에서 점, 모래시계 모양을 포함한 세 면이 만나는 점을 찾습니다. 이 점을 중심으로 시계 방향으로 돌면서 면 3개를 지나는 화살표를 그릴 수 있습니다. 화살표의 끝은 세모가 있는 면에 옵니다.

111쪽

15

[정답]

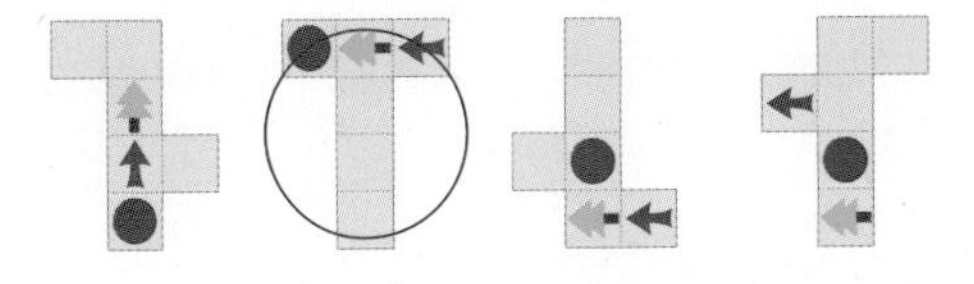

[풀이]

화살표와 원이 그려진 면은 서로 마주보기 때문에 세 번째, 네 번째 전개도는 입체도형의 전개도가 될 수 없습니다. 나무의 꼭대기가 원모양을 향하고, 화살표가 나무의 기둥 쪽을 향하는 전개도를 찾습니다. 첫 번째 모양에서 나무는의 꼭대기는 빈칸을 향합니다.

16

[정답] 4

[풀이]

전개도에서 눈의 수가 3, 1인 면을 포함한 세 면이 만나는 점을 찾습니다. 이 점 중 하나를 중심으로 시계 반대 방향으로 돌면서 면 3개를 지나는 화살표를 그릴 수 있습니다. 화살표의 끝이 눈의 수가 4인 면에 오게 됩니다.

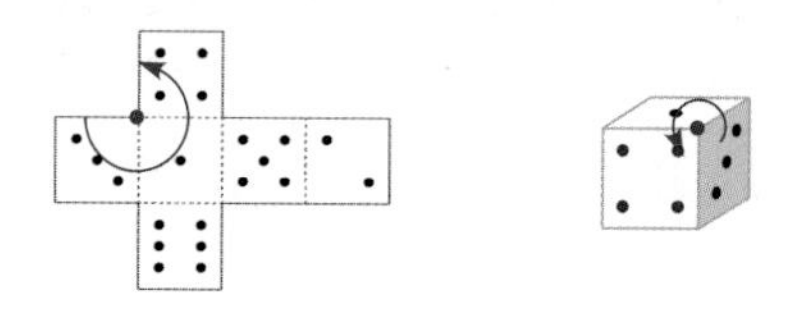

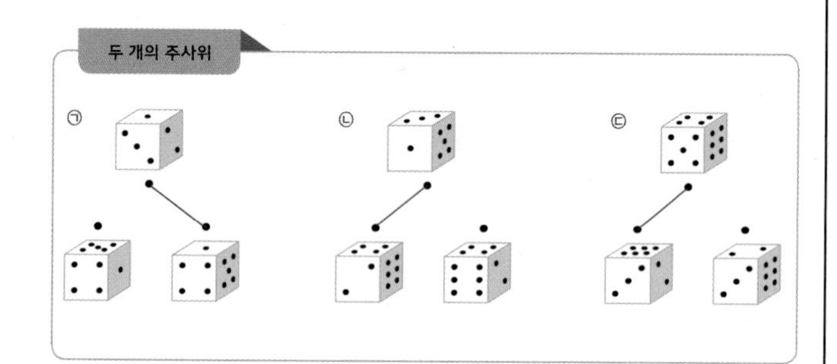

자르는 선

천종현수학연구소는

천종현 연구소장 아래 사고력 수학 교재를 써온 집필진으로 이루어져 있습니다. 사고력 수학을 가르치는 것으로부터 시작하여 사고력, 창의력 교재를 개발하면서 원리로부터 시작하는 단계적 학습을 중요하게 생각하는 실전에 강한 사고력 전문가 집단입니다.

원리를 이해하는 공부가 아니라 방법을 암기하는 수학 공부법에 대한 문제 인식을 가지고 아이들이 쉽고 재미있게 공부하면서도 생각하는 힘이 자라는 수학 컨텐츠를 연구하고 있습니다.